Textos bilingües paralelos
Bilingual Parallel Texts
Español ➻ Inglés

\*

## MIGUEL DE CERVANTES SAAVEDRA

# DON QUIJOTE
# DON QUIXOTE

\*

## Segunda edición

Traducido al inglés por:
John Ormsby

Abreviado por:
Ana Merino

Imagen de cubierta: Venta del Quijote. Puerto Lápice (Ciudad Real)
Imagen de contracubierta: Mosaico de la Venta del Quijote. Puerto Lápice (Ciudad Real)
Imágenes: Cortesía del Archivo Fotográfico de Turespaña y del Portal del IV Centenario Don
Quijote de La Mancha 2005, JCCM, con nuestro agradecimiento.

El trabajo de grabación ha sido realizado aplicando las nuevas tecnologías a través de Internet,
en la página http://www.locutortv.es, con la colaboración de los siguientes locutores:
Don Quijote: Magín Pibernat.
Sancho: David Tenreiro.
Narrador: Javier Crespo.
Teresa Panza y otros personajes: Carmen Mestre.
Ventero y otros personajes: Jesús Angel Morato.
Duquesa y otros personajes: María del Mar Mora.
Barbero y otros personajes: Álvaro Hache.
Merlín y otros personajes: Iván Cánovas.
Música: Martín Jakubowicz.
Dirección: Jesús Ángel Barriga Morato.
Edición: David Lorenzo.

ISBN: 84-609-5043-3
Depósito legal: M. 4.615-2006

Editorial La Casa de España, S.L.
C/ Santiago de Compostela, 16
28034 Madrid – Spain. Tel y fax: +34 91 378 01 88.
E-mail: lacasadeespana@gmail.com

## AGRADECIMIENTOS                    ACKNOWLEDGEMENTS

Editorial La Casa de España, S.L. agradece al director del Proyecto Cervantes,
radicado en Texas A&M University, Departamento de Lenguas Clásicas y
Modernas, el permiso de uso del texto inglés de John Ormsby, Londres, 1885,
colgado en su página web http://www.csdl.tamu.edu/cervantes/V2/index.html.

Ana Merino expresa su agradecimiento a los profesores de la Facultad de Filología
de la Universidad Complutense de Madrid: D. Dámaso López García, Vicedecano
de Ordenación Académica y Planes de Estudio, Dª Inmaculada Delgado Cobos,
directora del Master de Formación de Profesores de Español como Lengua
Extranjera, y especialmente, con todo mi afecto, a Dª Mª Luisa Vega, Prof. in
Applied Linguistics, por sus consejos sobre el capítulo 'Sugerencias para la
explotación didáctica de un texto bilingüe'.

# INTRODUCCION

La escritora Ana Merino lleva más de 20 años preparando materiales didácticos para la enseñanza del inglés, siendo pionera en la presentación paralela de dos textos de diferentes idiomas con fines didácticos, desde que en 1988 publicó la edición bilingüe, con notas, de la obra *The Bottle Imp – El diablo de la botella* de R.L. Stevenson. Ahora, con *Don Quijote* ➤➤ *Don Quixote (edición bilingüe español-inglés)*, entra en el campo de la enseñanza del español.

*Don Quijote* ➤➤ *Don Quixote (edición bilingüe español-inglés)* es una obra dirigida al lector amante de la obra de Cervantes y a la vez estudiante de español. Presenta de forma paralela el texto en español y su traducción al inglés, con el fin de facilitar la comparación gramatical y léxica, obviando así el uso continuado del diccionario.

Esta versión abreviada de *El Ingenioso Hidalgo Don Quijote de La Mancha*, que el lector puede leer sin perder el hilo argumental, busca el objetivo de captar el entusiasmo del lector por leer la obra completa tanto de Cervantes como la magnífica traducción al inglés de John Ormsby (Londres, 1885). Se ha elegido precisamente esta traducción por el impresionante dominio que Ormsby demuestra de la lengua española, que le hace capaz de reproducir en inglés los ricos matices de significado que el autor original quiso imprimir en el texto.

Se ha efectuado tanto en el texto español como en el inglés una actualización con fines didácticos de ciertas formas léxicas y expresiones que dificultaban la compresión o podían conducir a error al lector, pero a la vez se ha conservado el rico clasicismo del original. Dicha actualización, realizada con profundo respeto tanto hacia el texto español como a su traducción al inglés, sólo quiere enfatizar, aún más si cabe, la magia de la pluma de Cervantes.

# INTRODUCTION

The writer Ana Merino has been preparing English-teaching materials for over 20 years. She was one of the pioneers in the presentation of two parallel texts in different languages for teaching purposes: in 1988 the bilingual edition (with footnotes) of R.L. Stevenson's *The Bottle Imp - el Diablo de la Botella* was published. Now, with Don *Quijote* ➻ Don *Quixote* (*Bilingual Edition Spanish-English*), she is taking her first steps in the Spanish-teaching field.

Don *Quijote* ➻ Don *Quixote* (*Bilingual Edition Spanish-English*) is oriented to those who are fans of Cervantes' work and at the same time are Spanish students. The original text in Spanish, and its translation into English, are presented in parallel format with the aim of facilitating grammatical and lexical comparison, thereby avoiding the need for continuous reference to a dictionary.

This abbreviated version of *El Ingenioso Hidalgo Don Quijote de La Mancha*, which can be read without losing the story line, allows familiarisation with the work of Cervantes in its complete form, as well as with the magnificent English translation by John Ormsby (London, 1885). This particular translation was chosen as Ormsby's impressive mastery of Spanish allowed him to reproduce, in English, the rich nuances of meaning that the original author exhibited in his text.

For teaching purposes, whilst maintaining the rich classicism of the original text, a few of the lexical forms and expressions in both the Spanish and English texts have been modified into more recent forms and structures as the originals occasionally led to difficulty or error in comprehension. These limited modifications leave essentially unchanged the Spanish text and the English translation, as the intention is to highlight the magic of Cervantes' pen.

# RECOMENDACIONES PARA EL USO
# DE TEXTOS BILINGÜES PARALELOS

1. Se recomienda mantener el texto en el idioma propio tapado con una hoja de papel, que sólo se levantará cuando se desconozca la traducción de una palabra específica o cuando ésta represente un obstáculo para la comprensión del párrafo.

2. Léase la página completa y una vez acabada la lectura, levántese la hoja de papel para comprobar la traducción.

3. Sugerimos confeccionar en un cuaderno un minidiccionario personal bilingüe español-inglés o inglés-español, que se ha de repasar, y en el que se han de incluir tanto palabras sueltas como fragmentos de frases y notas sobre el uso de los mismos.

4. Los textos paralelos son también un instrumento para el estudio de la gramática española en contraste con la inglesa, es decir, sugerimos al lector-estudiante que observe distintos aspectos gramaticales de forma comparativa y que trate de encontrar más frases ilustrativas a lo largo del texto.

5. Es también muy interesante observar frases en ambos idiomas que expresan la misma idea pero que difieren en el vocabulario y en la construcción gramatical.

6. Repásese la lectura una segunda vez, prestando especial atención a las palabras o frases que no se sabían.

# HOW TO GET MOST ADVANTAGE FROM READING BILINGUAL PARALLEL TEXTS

1.  We recommend to keep the text in the native language covered with a piece of paper, which will only be lifted when the translation of a specific word is not known or when it is a real obstacle for the comprehension of the paragraph.

2.  Read the complete page and once the reading is finished, lift the paper to check the translation.

3.  We suggest to create a personal bilingual Spanish-English or English-Spanish vocabulary in a small notebook, which should be reviewed and in which you should include words, phrases, and notes about their usage.

4.  The parallel texts are also a study instrument of the Spanish grammar in contrast with the English grammar, it is to say, we suggest that the student-reader observes different grammar aspects in a comparative manner and try to find, along the text, more illustrative phrases.

5.  It is also very interesting to observe phrases in both languages that express the same idea but are different in vocabulary and idiomatic construction.

6.  Go over the text a second time, paying attention to the unknown words or phrases.

**Retrato de Miguel de Cervantes.**
**Oleo atribuido a Juan de Jáuregui, h. 1600.**

Miguel de Cervantes Saavedra nace en Alcalá de Henares (Madrid) el 29 de septiembre de 1547. Hijo de un cirujano, su vida se caracteriza por estrecheces económicas y frecuentes cambios de residencia. El 7 de octubre de 1571 participa en la batalla de Lepanto contra los turcos y queda inútil de la mano izquierda. De vuelta a España se establece en Sevilla. Su carrera como novelista se inicia en 1585 con La Galatea. En 1605 sale a la luz su obra cumbre El Ingenioso Hidalgo Don Quijote de la Mancha, que le hizo merecedor del sobrenombre del Príncipe de los Ingenios. Muere el 22 de abril de 1616.

# CONTENIDO

## SEGUNDA PARTE
## *SECOND PART*

14

# PRIMERA PARTE

*FIRST PART*

*[handwritten annotations in margin:]*
hidalgo = gentleman
trata = treats
adgarda = shield
una olla = a stew
hacienda = income
un ama = housekeeper
un mozo = a lad

plaza = market place
los autores = authors
cuento = tale

CAPÍTULO I

# QUE TRATA DE LA CONDICIÓN Y EJERCICIO DEL FAMOSO HIDALGO DON QUIJOTE DE LA MANCHA

*[handwritten above "lugar": village]*

En un lugar de La Mancha, de cuyo nombre no quiero acordarme, no ha mucho tiempo que vivía un hidalgo de los de lanza en astillero, adarga antigua, rocín flaco y galgo corredor. Una olla de algo más vaca que carnero, salpicón las más noches, duelos y quebrantos los sábados, lentejas los viernes, y algún palomino de añadidura los domingos, consumían las tres partes de su hacienda. El resto de ella incluían sayo de velarte, calzas de velludo para las fiestas, con sus pantuflos de lo mismo, y los días de entre semana se honraba con su vellorí de lo más fino.

Tenía en su casa un ama que pasaba de los cuarenta, una sobrina que no llegaba a los veinte, y un mozo de campo y plaza, que así ensillaba el rocín como tomaba la podadera. Frisaba la edad de nuestro hidalgo los cincuenta años; era de complexión recia, seco de carnes, enjuto de rostro, gran madrugador y amigo de la caza. Quieren decir que tenía el sobrenombre de Quijada, o Quesada —que en esto hay alguna diferencia en los autores que de este caso escriben— aunque por conjeturas verosímiles, se deja entender que se llamaba Quijana. Pero esto importa poco a nuestro cuento; basta que la narración no se salga un punto de la verdad.

Es, pues, de saber que este sobredicho hidalgo, los ratos que estaba ocioso —que eran los más del año— se daba a leer libros de caballerías con tanta afición y gusto que olvidó casi de todo punto el ejercicio de la caza, ...

18

# WHICH TREATS OF THE CHARACTER AND PURSUITS OF THE FAMOUS GENTLEMAN DON QUIXOTE DE LA MANCHA

In a village of La Mancha, the name of which I have no desire to call to mind, there lived not long ago one of those gentlemen that keep a lance in the lance-rack, an old shield, a lean hack and a greyhound for coursing. A stew of rather more beef than mutton, a salad on most nights, scraps on Saturdays, lentils on Fridays, and a pigeon or so extra on Sundays, made away with three quarters of his income. The rest of it went in a doublet of fine cloth and velvet breeches and shoes to match for holidays, while on weekdays he made a brave figure in his best homespun.

He had in his house a housekeeper past forty, a niece under twenty, and a lad for the field and market place, who used to saddle the hack as well as handle the billhook. The age of this gentleman of ours was bordering on fifty; he was of tough constitution, spare, gaunt-featured, a very early riser and very fond of hunting. They will have it his surname was Quixada or Quesada —for here there is some difference of opinion among the authors who write on the subject— although from reasonable conjectures, it seems plain that he was called Quixana. This, however, is of but little importance to our tale; it will be enough not to stray a hair's breadth from the truth in the telling of it.

You must know, then, that the above-named gentleman, whenever he was at leisure —which was mostly all the year round— gave himself up to reading books of chivalry with such ardour and avidity that he almost entirely neglected his hunting, ...

y aun la administración de su hacienda; y llegó a tanto su curiosidad y desatino en esto, que vendió muchas fanegas de tierra de sembradura para comprar libros de caballerías que leer, y así, llevó a su casa todos cuantos pudo conseguir; y de todos, ninguno le parecía tan bien como los que compuso el famoso Feliciano de Silva, porque la claridad de su prosa y aquellas intrincadas razones suyas le parecían de perlas, y más cuando llegaba a leer aquellos requiebros y cartas de desafíos, donde en muchas partes hallaba escrito:

*La razón de la sinrazón que a mi razón se hace, de tal manera mi razón enflaquece, que con razón me quejo de la vuestra fermosura.*

Con estas razones perdía el pobre caballero el juicio, y se desvelaba por entenderlas y desentrañarles el sentido. Se enfrascó tanto en su lectura que se le pasaban las noches leyendo de claro en claro, y los días de turbio en turbio; y así, del poco dormir y del mucho leer se le secó el cerebro de manera que vino a perder el juicio. Se le llenó la fantasía de todo aquello que leía en los libros, así de encantamientos como de pendencias, batallas, desafíos, heridas, requiebros, amores, tormentos y disparates imposibles.

En efecto, rematado ya su juicio, vino a dar en el más extraño pensamiento que jamás dio loco en el mundo; y fue que le pareció conveniente y necesario, así para el aumento de su honra como para el servicio de su república, hacerse caballero andante, e irse por todo el mundo con su armadura y a caballo a buscar aventuras, y a ejercitarse en todo aquello que él había leído que los caballeros andantes se ejercitaban, deshaciendo todo género de agravio, y poniéndose en ocasiones y peligros donde, acabándolos, cobrase eterno nombre y fama.

Lo primero que hizo fue limpiar una armadura que había sido de sus bisabuelos. Fue luego a ver a su rocín, que le pareció que ni el Bucéfalo de Alejandro ni el Babieca del Cid con él se igualaban. Cuatro días se le pasaron en imaginar qué nombre le pondría; y así, después de muchos nombres que formó, borró y quitó, añadió, deshizo y tornó a hacer en su memoria e imaginación, al fin le vino a llamar Rocinante.

and even the management of his property; and to such a pitch did his eagerness and infatuation go, that he sold many an acre of tillage land to buy books of chivalry to read, and brought home as many of them as he could get; but of all there were none he liked so well as those of the famous Feliciano de Silva's composition, for their lucidity of style and complicated conceits were as pearls in his sight, particularly when in his reading he came upon those love passages and challenges, where he often found it written:

*The reason of the unreason with which my reason is afflicted, so weakens my reason, that with reason I murmur at your beauty.*

Over conceits of this sort the poor gentleman lost his wits, and used to lie awake striving to understand them and worm the meaning of them. He became so absorbed in his books that he spent his nights from sunset to sunrise, and his days from dawn to dark, poring over them; and what with little sleep and much reading his brains got so dry that he lost his wits. His fancy grew full of what he used to read about in his books, enchantments, quarrels, battles, challenges, wounds, wooing, loves, agonies and all sorts of impossible nonsense.

In short, his wits being quite gone, he hit upon the strangest notion that ever madman in this world hit upon; and it was that he fancied it was right and requisite, as well for the support of his own honour as for the service of his country, that he should make a knight-errant of himself, roaming the world over in full armour and on horseback in quest of adventures, and putting in practice himself all that he had read of as being the usual practices of knights-errant, righting every kind of wrong, and exposing himself to peril and danger from which, in the issue, he was to reap eternal renown and fame.

The first thing he did was to clean up some armour that had belonged to his ancestors. He next proceeded to inspect his hack, which did not surpass in his eyes the Bucephalus of Alexander or the Babieca of the Cid. Four days were spent in thinking what name to give him; and so, after having composed, struck out and rejected, added to, unmade and remade a multitude of names out of his memory and fancy, he decided upon calling him Rocinante.

Puesto nombre, y tan a su gusto, a su caballo, quiso ponérselo a sí mismo, y en este pensamiento duró otros ocho días, y al cabo se vino a llamar Don Quijote; y, como buen caballero, quiso añadir al suyo el nombre de su patria y llamarse Don Quijote de La Mancha. Limpia, pues, su armadura, puesto nombre a su rocín, y confirmándose a sí mismo, se dio a entender que no le faltaba otra cosa sino buscar una dama de quien enamorarse: porque el caballero andante sin amores era árbol sin hojas y sin fruto, o cuerpo sin alma.

Había, así continúa la historia, en un pueblo cerca del suyo, una moza labradora de muy buen parecer, de quien él un tiempo anduvo enamorado, aunque, según se entiende, ella jamás lo supo. Se llamaba Aldonza Lorenzo, pero buscándole nombre que tirase al de princesa, vino a llamarla Dulcinea del Toboso —porque era natural de El Toboso.

CAPÍTULO II

## QUE TRATA DE LA PRIMERA SALIDA QUE DE SU TIERRA HIZO EL INGENIOSO DON QUIJOTE

Así una mañana antes del día —que era uno de los más calurosos del mes de julio— se atavió con su armadura, subió sobre Rocinante, embrazó su adarga, tomó su lanza y por la puerta falsa de un corral, salió al campo con grandísimo contento y alborozo de ver con cuánta facilidad había dado principio a su buen deseo. Mas apenas se vio en el campo, cuando le asaltó un pensamiento terrible. Le vino a la memoria que no había sido armado caballero, y se propuso hacerse armar caballero del primero con que se topase. Y con esto, prosiguió su camino, sin llevar otro que aquel que su caballo quería, creyendo que en aquello consistía la esencia de la aventura. Casi todo aquel día caminó sin acontecerle cosa que de contar fuese; y al anochecer, su rocín y él se hallaban cansados y muertos de hambre, cuando, mirando a todas partes por ver si descubría algún castillo donde recogerse, vio, no lejos del camino por donde iba, una venta, y apretando el paso, llegó a ella al tiempo que anochecía.

Having got a name for his horse so much to his taste, he was anxious to get one for himself, and he was eight more days pondering over this point, till at last he made up his mind to call himself Don Quixote; and, like a good knight, he resolved to add on the name of his country and to style himself Don Quixote de La Mancha. So then, his armour being furbished, his hack, christened, and he himself confirmed, he came to the conclusion that nothing more was needed now but to look out for a lady to be in love with: for a knight-errant without love was like a tree without leaves or fruit, or a body without a soul.

There was, so the story goes, in a village near his own, a very good-looking farm-girl with, whom he had been at one time in love, though, so far as is known, she never knew it. Her name was Aldonza Lorenzo, but after some search for a name which should suggest that of a princess, he decided upon calling her Dulcinea del Toboso —she being of El Toboso.

Chapter II

# WHICH TREATS OF THE FIRST SALLY THE INGENIOUS DON QUIXOTE MADE FROM HOME

So one morning before the dawning of the day —which was one of the hottest of the month of July— he donned his suit of armour, mounted Rocinante, braced his shield, took his lance, and by the back door of the yard, he sallied forth upon the plain in the highest contentment and satisfaction at seeing with what ease he had made a beginning with his grand purpose. But scarcely did he find himself upon the open plain, when a terrible thought struck him. It occurred to him that he had not been dubbed a knight, and he made up his mind to have himself dubbed a knight by the first one he came across. And so, he pursued his way, taking that which his horse chose, for in this he believed lay the essence of adventures. Nearly all day he travelled without anything remarkable happening to him; and towards nightfall, his hack and he found themselves dead tired and hungry, when, looking all around to see if he could discover any castle where he could take shelter, he perceived, not far out of his road, an inn, and quickening his pace, he reached it just as night was setting in.

Llegó a la puerta de la venta, y vio a dos mozas de *fácil virtud*, que a él le parecieron dos hermosas doncellas. En esto sucedió que un porquero que andaba recogiendo de unos rastrojos una manada de puercos tocó un cuerno, a cuya señal se recogen, y al instante se le representó a Don Quijote que era la señal de su llegada. En aquel punto salió el ventero, el cual viendo aquella grotesca figura y temiendo la máquina de tantos pertrechos, determinó hablarle comedidamente, y así le dijo:

"Señor caballero, si vuestra merced busca posada, amén de lecho, —porque en esta venta no hay ninguno— todo lo demás lo hallará en ella en mucha abundancia."

Viendo Don Quijote la humildad del alcalde de la fortaleza, respondió:

"Para mí, señor castellano, cualquiera cosa basta, porque mis arreos son mi armadura y mi descanso, el pelear."

"Según eso, —dijo el ventero— la cama de vuestra merced será una dura peña y su dormir, siempre velar; y siendo así, bien se puede apear, con seguridad de hallar en esta choza ocasión y ocasiones para no dormir en todo un año, cuanto más en una noche."

Diciendo esto, el ventero fue a tener el estribo a Don Quijote. Luego acomodó a Rocinante en la caballeriza, volvió a ver lo que su huésped mandaba, y le preguntó si quería comer alguna cosa.

"Cualquier cosa yantaría yo, —respondió Don Quijote— porque, a lo que entiendo, me haría mucho al caso, que el trabajo y peso de las armas no se puede llevar sin el gobierno de las tripas."

Le pusieron la mesa a la puerta de la venta, por el fresco, y le trajo el huésped una porción de mal remojado y peor cocido bacalao, y un pan tan negro y mugriento como su propia armadura. Llegó entonces a la venta un castrador de puercos, el cual hizo sonar su silbato de caña cuatro o cinco veces, con lo cual acabó de confirmar Don Quijote que estaba en algún famoso castillo, y que le servían con música, y con esto daba por bien empleada su determinación y salida.

He made for the inn door, and perceived two young women of *easy virtue*, who seemed to him to be two fair maidens. At this moment it so happened that a swineherd who was going through the stubbles collecting a drove of pigs gave a blast of his horn to bring them together, and forthwith it seemed to Don Quixote to be the signal of announcing his arrival. At that moment the innkeeper came out, who, seeing that grotesque figure and standing in awe of such a complicated armament, he thought it best to speak him fairly, so he said:

"Sir knight, if your worship wants lodging, as well as a bed, —for there is not one in this inn— there is plenty of everything else here."

Don Quixote, observing the respectful bearing of the warden of the fortress, replied:

"Sir Castilian, for me anything will suffice, for my armour is my only wear and my only rest, the fray."

"In that case, —said the innkeeper— your bed is on the flinty rock and your sleep, to watch till day; and if so, you may dismount and safely reckon upon any quantity of sleeplessness under this roof for a year, not to say for a single night."

So saying, the innkeeper advanced to hold the stirrup for Don Quixote. Then he put Rocinante up in the stable, returned to see what might be wanted by his guest, and asked him if he wanted anything to eat.

"I would gladly eat a bit of something, —replied Don Quixote— for I feel it would come very seasonably, for the burden and pressure of arms cannot be borne without support to the inside."

They laid a table for him at the door of the inn, for the sake of the air, and the host brought him a portion of ill-soaked and worse cooked stockfish, and a piece of bread as black and mouldy as his own armour. Then there came up to the inn a sowgelder, who sounded his reed pipe four or five times, and thereby it completely convinced Don Quixote that he was in some famous castle, and that they were regaling him with music, and consequently he held that his enterprise and sally had been to some purpose.

25

# DONDE SE CUENTA LA GRACIOSA MANERA QUE TUVO DON QUIJOTE DE ARMARSE CABALLERO

Acabada la cena, Don Quijote llamó al ventero, se hincó de rodillas ante él, y le dijo:

"No me levantaré jamás de donde estoy, valeroso caballero, hasta que la vuestra cortesía me otorgue un don que pedirle quiero, y es que mañana me habéis de armar caballero. Esta noche en la capilla de este vuestro castillo velaré las armas; así mañana por la mañana se cumplirá lo que tanto deseo para poder ir por todas las cuatro partes del mundo buscando aventuras en pro de los menesterosos."

El ventero, que era un poco socarrón, y por tener de qué reír aquella noche, determinó seguirle el humor. Así le dijo que andaba muy acertado en lo que deseaba y pedía. Le dijo también que en aquel su castillo no había capilla alguna donde poder velar la armadura, porque estaba derribada para hacerla de nuevo; pero que aquella noche la podría velar en un patio del castillo.

Le preguntó si traía dinero. Respondió Don Quijote que no traía ni blanca, porque él nunca había leído en las historias de los caballeros andantes que ninguno lo hubiese traído. A esto dijo el ventero que se engañaba; en las historias no se escribía por haberles parecido a los autores de ellas que no era menester mencionar una cosa tan clara y tan necesaria como eran dinero y camisas limpias. Le prometió Don Quijote hacer lo que le aconsejaba con toda puntualidad.

Luego se dispuso que velase la armadura en un corral grande que a un lado de la venta estaba; de este modo, recogiéndola toda, Don Quijote la puso sobre una pila que estaba al lado de un pozo, y, embrazando su adarga, cogió la lanza y con gentil continente comenzó a pasearse con aire marcial arriba y abajo delante de la pila; y cuando comenzó el paseo, comenzaba a cerrar la noche. En esto se le antojó a uno de los arrieros que estaban en la venta ir a dar agua a su recua, y fue menester retirar la armadura de Don Quijote; pero él, viéndole llegar, en voz alta le dijo:

CHAPTER III

# WHEREIN IS RELATED THE DROLL WAY IN WHICH DON QUIXOTE HAD HIMSELF DUBBED A KNIGHT

Having finished his supper, Don Quixote called the innkeeper, fell on his knees before him, and said to him:

"From this spot I will not rise, valiant knight, until your courtesy grants me the boon I seek, and it is that you will dub me knight tomorrow morning. Tonight I will watch my arms in the chapel of this your castle; thus tomorrow it will be accomplished what I so much desire, enabling me lawfully to roam through all the four quarters of the world seeking adventures on behalf of those in distress."

The innkeeper, who was something of a wag, and to make sport for the night, determined to fall in with his humour. So he told him he was quite right in pursuing the object he had in view. He told him, moreover, that in this castle of his there was no chapel in which he could watch his armour, as it had been pulled down in order to be rebuilt; but that he might watch it that night in a courtyard of the castle.

He asked if he had any money with him. Don Quixote replied he had not a farthing, as in the histories of knights-errant, he had never read of any of them carrying any. On this point the innkeeper told him he was mistaken; it was not recorded in the histories because, in the authors' opinion, there was no need to mention anything so obvious and necessary as money and clean shirts. Don Quixote promised to follow his advice scrupulously.

It was arranged forthwith that he should watch his armour in a large yard at one side of the inn; so, collecting it all together, Don Quixote placed it on a trough that stood by the side of a well, and, bracing his shield on his arm, he grasped his lance and began with a stately air to march up and down in front of the trough; and as he began his march, night began to fall. Meanwhile one of the carriers who were in the inn thought fit to water his team, and it was necessary to remove Don Quixote's armour; but he, seeing the other approach, hailed him in a loud voice:

27

"¡Oh tú, quienquiera que seas, atrevido caballero! ¡Mira lo que haces! ¡No la toques si no quieres dejar la vida en pago de tu atrevimiento!"

Pero el arriero, agarrando la armadura por las correas, la arrojó gran trecho de sí. Entonces Don Quijote, soltando la adarga, alzó la lanza con las dos manos y dio con ella tal golpe al arriero en la cabeza que lo dejó tirado en el suelo. Desde allí a poco, llegó otro arriero con la misma intención de dar agua a sus mulos, y yendo a retirar la armadura para desembarazar la pila, Don Quijote, sin hablar palabra, soltó otra vez la adarga y alzó otra vez la lanza y, sin hacer pedazos la cabeza del segundo arriero, le hizo más de tres, porque se la abrió en cuatro. Al ruido acudió toda la gente de la venta, y entre ellos, el ventero. Viendo esto, Don Quijote embrazó su adarga y, puesta mano a su espada, exclamó:

"¡Oh señora de la hermosura! Ahora es tiempo que vuelvas los ojos de tu grandeza a este tu cautivo caballero, que tamaña aventura está atendiendo."

Los compañeros de los heridos comenzaron desde lejos a llover piedras sobre Don Quijote. El ventero daba voces de que le dejasen, porque ya les había dicho que estaba loco, y que por loco se libraría, aunque los matase a todos. También Don Quijote las daba, mayores, llamándolos alevosos y traidores, y que el señor del castillo era un villano y mal nacido caballero, pues de tal manera consentía que se tratase a los caballeros andantes. Por las persuasiones del ventero, le dejaron de tirar piedras; él dejó retirar a los heridos, y tornó a la vela de su armadura con la misma quietud y sosiego que antes.

No le parecieron bien al ventero las locuras de su huésped, y determinó abreviar el asunto. Así el castellano sacó al momento un libro, fue adonde estaba Don Quijote, y le mandó hincarse de rodillas. Entonces, leyendo en el manual como si dijera alguna oración, en mitad de la leyenda, alzó la mano y le dio en el cuello un buen golpe, y tras él, con su misma espada, un gentil espaldarazo en el hombro.

"O you, whoever you are, rash knight! Have a care what you do! Do not touch it unless you wish to lose your life as the penalty of your rashness!"

But the carrier, seizing the armour by the straps, flung it some distance from him. Then Don Quixote, dropping his shield, lifted his lance with both hands and with it, stroke such a blow on the carrier's head that he stretched him on the ground. After a while, another carrier came with the same object of giving water to his mules, and he was proceeding to remove the armour in order to clear the trough, when Don Quixote, without uttering a word, once more dropped his shield and once more lifted his lance and, without actually breaking the second carrier's head into pieces, made more than three of it, for he laid it open in four. At the noise all the people of the inn ran to the spot, and among them, the innkeeper. Seeing this, Don Quixote braced his shield on his arm and, with his hand on his sword, exclaimed:

"O Lady of Beauty! It is time for you to turn the eyes of your greatness on this your captive knight on the brink of so mighty an adventure."

The comrades of the wounded began from a distance to shower stones on Don Quixote. The innkeeper shouted to them to leave him alone, for he had already told them that he was mad, and as a madman, he would not be accountable, even if he killed them all. Still louder shouted Don Quixote, calling them knaves and traitors, and the lord of the castle, who allowed knights-errant to be treated in that way, a villain and a low-born knight. At the persuasion of the innkeeper, they left off stoning him; he allowed them to carry off the wounded, and, with the same calmness and composure as before, he resumed the watch over his armour.

These freaks of his guest were not much to the liking of the innkeeper, so he determined to cut matters short. Thus the Castilian forthwith brought out a book, returned to where Don Quixote stood, and bade him kneel down. Then, reading from his count book as if he were repeating some prayer, in the middle of his delivery, he raised his hand and gave him a sturdy blow on the neck, and then, with his own sword, a smart slap on the shoulder.

Hechas, pues, de galope y aprisa las hasta allí nunca vistas ceremonias, no vio la hora Don Quijote de verse a caballo y salir a buscar aventuras; y, ensillando enseguida a Rocinante, subió en él y, abrazando a su huésped, le dijo cosas tan extrañas agradeciéndole la merced de haberle armado caballero, que no es posible acertar a referirlas. El ventero, por verle ya fuera de la venta, con no menos retóricas, aunque con más breves palabras, respondió a las suyas y, sin pedirle la costa de la posada, le dejó ir en buena hora.

## CAPÍTULO IV

## DE LO QUE LE SUCEDIÓ A NUESTRO CABALLERO CUANDO SALIÓ DE LA VENTA

La del alba sería cuando Don Quijote salió de la venta. Mas, viniéndole a la memoria los consejos de su huésped acerca de las prevenciones tan necesarias que había de llevar consigo, especial la del dinero y las camisas, determinó volver a su casa y acomodarse de todo y también de un escudero. Estuvo quince días en casa muy sosegado sin dar muestras de querer secundar sus primeros devaneos. Durante este tiempo, mantuvo vivas conversaciones con sus dos compadres, el cura y el barbero, sobre el resurgimiento de la caballería andante.

En este tiempo Don Quijote persuadió a un labrador, vecino suyo —hombre de bien, pero de muy poca sal en la mollera— para que le sirviera de escudero. Entre otras cosas, le decía Don Quijote que se dispusiese a ir con él de buena gana, porque tal vez le podía suceder una aventura, en la que ganase, en un quítame allá esas pajas, alguna ínsula, y le dejase a él por gobernador de ella. Con estas promesas y otras tales, Sancho Panza —que así se llamaba el labrador— dejó a su mujer y a sus hijos, y se asentó por escudero de su vecino. Dio luego Don Quijote orden de buscar dinero; y vendiendo una cosa, empeñando otra, y malbaratándolas todas, reunió una razonable cantidad.

Having thus, with hot haste and speed, brought to a conclusion these never-till-now-seen ceremonies, Don Quixote was on thorns until he saw himself on horseback sallying forth in quest of adventures; and, saddling Rocinante at once, he mounted and, embracing his host as he returned thanks for his kindness in knighting him, he addressed him in language so extraordinary that it is impossible to report it. The innkeeper, to get him out of the inn, replied with no less rhetoric, though with shorter words, and without calling upon him to pay the reckoning, let him go with a *Godspeed!*

CHAPTER IV

# OF WHAT HAPPENED TO OUR KNIGHT WHEN HE LEFT THE INN

Day was dawning when Don Quixote quitted the inn. However, recalling the advice of his host as to the requisites he ought to carry with him, especially that referring to money and shirts, he determined to go home and provide himself with all and also with a squire. He remained at home fifteen days very quietly without showing any signs of a desire to take up with his former delusions. During this time, he held lively discussions with his two friends, the curate and the barber, about the revival of knight-errantry.

Meanwhile Don Quixote persuaded a farm-labourer, a neighbour of his —an honest man, but with very little wit in his pate— to serve him as squire. Don Quixote, among other things, told him he ought to be ready to go with him gladly, because any moment an adventure might occur that he might win an island in the twinkling of an eye and he would leave him governor of it. On these and the like promises, Sancho Panza —for so the labourer was called— left wife and children, and engaged himself as squire to his neighbour. Don Quixote next set about getting some money; and selling one thing, pawning another, and making a bad bargain in every case, he got together a fair sum.

Luego avisó a su escudero Sancho del día y la hora que pensaba ponerse en camino para que él se acomodase de lo que viese que más le era menester; sobre todo, le encargó que llevase alforjas. El otro dijo que sí llevaría, y que asimismo pensaba llevar un asno que tenía muy bueno, porque él no estaba ducho a andar mucho a pie. Don Quijote se proveyó de camisas, conforme al consejo que el ventero le había dado; todo lo cual hecho y cumplido, sin despedirse Sancho Panza de sus hijos y mujer, ni Don Quijote de su ama y sobrina, una noche salieron del pueblo sin que nadie los viese; y caminaron tanto que al amanecer se tuvieron por seguros de que no los hallarían aunque los buscasen. Iba Sancho Panza sobre su jumento como un patriarca, con sus alforjas y bota, y con mucho deseo de verse ya gobernador de la ínsula que su amo le había prometido.

Era temprano por la mañana cuando caminaban por el Campo de Montiel. Dijo en esto Sancho Panza a su amo:

"Mire vuestra merced, señor caballero andante, que no se le olvide lo que de la ínsula me tiene prometido, que yo la sabré gobernar, por grande que sea."

"Has de saber, amigo Sancho Panza, —respondió Don Quijote— que fue costumbre muy usada de los caballeros andantes antiguos hacer gobernadores a sus escuderos de las ínsulas o reinos que ganaban, y bien podría ser que antes de seis días ganase yo tal reino que tuviese otros a él adherentes, que viniesen de molde para coronarte por rey de uno de ellos."

"De esa manera —dijo Sancho Panza— si yo fuese rey por algún milagro de los que vuestra merced dice, por lo menos, Mari Gutiérrez, mi mujer, vendría a ser reina, y mis hijos, infantes."

"Pues, ¿quién lo duda?" —respondió Don Quijote.

"Yo lo dudo —dijo Sancho Panza— porque tengo para mí que, aunque lloviese Dios reinos sobre la tierra, ninguno asentaría bien sobre la cabeza de Mari Gutiérrez. Sepa, señor, que no vale dos maravedís para reina; condesa le caerá mejor, y aun Dios y ayuda."

Then he warned his squire Sancho of the day and hour he meant to set out so that he might provide himself with what he thought most needful; above all, he charged him to take saddle-bags with him. The other said he would, and that he meant to take also a very good ass he had, as he was not much given to going on foot. Don Quixote provided himself with shirts, according to the advice the host had given him; all this being done, without taking leave Sancho Panza of his wife and children, or Don Quixote of his housekeeper and niece, they sallied forth unseen by anybody from the village one night; and they made such good way in the course of it that by daylight they held themselves safe from discovery, even should search be made for them. Sancho rode on his ass like a patriarch, with his saddle-bags and his leather bottle, and longing to see himself soon governor of the island his master had promised him.

It was early morning when they were walking across Campo de Montiel. And now said Sancho Panza to his master:

"Your worship will take care, sir knight-errant, not to forget about the island you have promised me, for be it ever so big I'll be equal to governing it."

"You must know, friend Sancho Panza, —replied Don Quixote— that it was a practice very much in vogue with the knights to make their squires governors of the islands or kingdoms they won, and it may well be that before six days are over, I may have won some kingdom that has others dependent upon it, which will be just the thing to enable you to be crowned king of one of them."

"In that case —said Sancho Panza— if I should become a king by one of those miracles your worship speaks of, even Mari Gutiérrez, my old woman, would come to be queen, and my children, princes."

"Well, who doubts it?" —replied Don Quixote.

"I doubt it —said Sancho Panza— because for my part I am persuaded that, though God should shower down kingdoms upon earth, not one of them would fit the head of Mari Gutiérrez. Let me tell you, sir, she is not worth two *maravedis* for a queen; countess will fit her better, and that only with God's help."

"Encomiéndalo tú a Dios, Sancho, —respondió Don Quijote— que El le dará lo que más le convenga."

## DEL BUEN SUCESO QUE EL VALEROSO DON QUIJOTE TUVO EN LA ESPANTABLE Y JAMÁS IMAGINADA AVENTURA DE LOS MOLINOS DE VIENTO

En esto descubrieron treinta o cuarenta molinos de viento que hay en aquel campo, y así como Don Quijote los vio, dijo a su escudero:

"La ventura va guiando nuestras cosas mejor de lo que acertáramos a desear, porque ves allí, amigo Sancho Panza, donde se descubren treinta, o pocos más, desaforados gigantes, con quien pienso entablar batalla y quitarles a todos la vida, y con cuyos despojos nos comenzaremos a enriquecer; pues es gran servicio de Dios quitar tan mala simiente de la faz de la tierra."

"¿Qué gigantes?" —dijo Sancho Panza.

"Aquellos que allí ves, —respondió su amo— de los brazos largos."

"Mire, vuestra merced —dijo Sancho—; lo que allí vemos no son gigantes sino molinos de viento, y lo que en ellos parecen brazos son las aspas, que, volteadas por el viento, hacen andar la piedra del molino."

"Bien parece —respondió Don Quijote— que no estás cursado en esto de las aventuras: aquellos son gigantes; y si tienes miedo, quítate de ahí y ponte en oración, que yo voy a entrar con ellos en fiera y desigual batalla."

Y diciendo esto, espoleó a su caballo Rocinante. Iba tan puesto en que eran gigantes que iba al ataque gritando:

"Leave it to God, Sancho, —returned Don Quixote— for he will give her what suits her best."

# OF THE GOOD FORTUNE WHICH DON QUIXOTE HAD IN THE TERRIBLE AND UNDREAMT-OF ADVENTURE OF THE WINDMILLS

At this point they came in sight of thirty or forty windmills that there are on that plain, and as soon as Don Quixote saw them, he said to his squire:

"Fortune is arranging matters for us better than we could have shaped our desires ourselves, for look there, friend Sancho Panza, where thirty, or more, monstrous giants present themselves, all of whom I mean to engage in battle and slay, and with whose spoils we will begin to make our fortunes; for it is God's good service to sweep so evil a breed from off the face of the earth."

"What giants?" —said Sancho Panza.

"Those you can see there, —answered his master— with the long arms."

"Look, your worship —said Sancho—; what we see there are not giants but windmills, and what seem to be their arms are the sails, that, turned by the wind, make the millstone go."

"It is easy to see —replied Don Quixote— that you are not used to this business of adventures: those are giants; and if you are afraid, away with you out of this and betake yourself to prayer, while I engage them in fierce and unequal combat."

And so saying, he gave the spur to his steed Rocinante. He was so positive they were giants that he made at them shouting:

"¡No huyáis, cobardes y viles criaturas, que un solo caballero es el que os acomete!"

Se levantó en esto un poco de viento, y las grandes aspas comenzaron a moverse, lo cual visto por Don Quijote, exclamó:

"¡Pues aunque mováis más brazos que los del gigante Briareo, me lo habéis de pagar!"

Diciendo esto y encomendándose de todo corazón a su señora Dulcinea, con la lanza en ristre y cubierto de su rodela, Don Quijote arremetió a todo galope de Rocinante y embistió al primer molino, y dándole una lanzada en el aspa, la revolvió el viento con tanta furia que hizo la lanza pedazos, llevándose tras sí al caballo y al jinete, que fue rodando muy maltrecho por el campo. Acudió Sancho a socorrerle, a todo el correr de su asno, y cuando llegó, halló que no se podía menear.

"¡Válgame Dios! —exclamó Sancho—. ¿No le dije yo a vuestra merced que mirase bien lo que hacía, que no eran sino molinos de viento?"

"Calla, amigo Sancho, —respondió Don Quijote— que las cosas de la guerra, más que otras, están sujetas a continua mudanza; cuanto más, que yo pienso, y es así verdad, que el sabio Frestón ha convertido estos gigantes en molinos por quitarme la gloria de vencerlos."

"Dios lo haga como puede" —dijo Sancho Panza.

Y, ayudándole a levantar, le tornó a subir sobre Rocinante. Y hablando de la pasada aventura, siguieron el camino de Puerto Lápice, porque allí decía Don Quijote que no era posible dejar de encontrar muchas y diversas aventuras.

"Fly not, cowards and vile beings, for it is a single knight that attacks you!"

A slight breeze at this moment sprang up, and the great sails began to move, seeing which Don Quixote exclaimed:

"Although you flourish more arms than the giant Briareo, you have to reckon with me!"

So saying and commending himself with all his heart to his lady Dulcinea, with lance in rest and covered by his shield, Don Quixote charged at Rocinante's fullest gallop and fell upon the first mill, but as he drove his lance-point into the sail, the wind whirled it round with such force that it shivered the lance to pieces, sweeping with it horse and rider, who went rolling over on the plain in a sorry condition. Sancho hastened to his assistance as fast as his ass could go, and when he came up, found him unable to move.

"God bless me! —exclaimed Sancho—. Didn't I tell your worship to mind what you were about, for they were only windmills?"

"Hush, friend Sancho, —replied Don Quixote— for the fortunes of war, more than any other, are liable to frequent fluctuations; and moreover I think, and it is the truth, that the sage Frestón has turned these giants into mills in order to rob me of the glory of vanquishing them."

"God order it as he may" —said Sancho Panza.

And helping him to rise, got him up again on Rocinante. Then, discussing the late adventure, they followed the road to Puerto Lápice, for there Don Quixote said they could not fail to find adventures in abundance and variety.

# Capítulo VI

## DONDE SE CUENTA LA DESGRACIADA AVENTURA QUE SE TOPÓ DON QUIJOTE EN TOPAR CON UNOS DESALMADOS YANGÜESES

Don Quijote y su escudero vinieron a parar a un prado lleno de fresca hierba. Se apearon y, dejando al jumento y a Rocinante a sus anchas pacer en la hierba, dieron saco a las alforjas, y sin ceremonia alguna, en buena paz y compaña, amo y mozo comieron lo que en ellas hallaron. Andaban por aquel valle paciendo una manada de jacas galicianas de unos arrieros.

Sucedió, pues, que a Rocinante le vino el deseo de refocilarse con las señoras jacas, y así como las olió, tomó un trotico algo picadillo y se fue a comunicar su necesidad con ellas; mas ellas debían de tener más gana de pacer que de él, y lo recibieron con las herraduras y los dientes, de tal manera que al momento le rompieron las cinchas y lo dejaron en pelota, sin silla. Viendo los arrieros la violencia que a sus yeguas se les hacía, acudieron con estacas, y tantos palos le dieron que lo derribaron malparado en el suelo. Ya en esto Don Quijote y Sancho llegaban jadeando, y dijo Don Quijote a Sancho:

"A lo que yo veo, amigo Sancho, estos no son caballeros sino gente soez y de baja ralea. Lo digo porque bien me puedes ayudar a tomar la debida venganza del agravio que delante de nuestros ojos se le ha hecho a Rocinante."

"¿Qué diablos de venganza hemos de tomar, —preguntó Sancho— si ellos son más de veinte y nosotros, no más de dos, o aun quizá nosotros, sino uno y medio?"

"Yo valgo por ciento" —replicó Don Quijote.

Y sin hacer más discursos, echó mano a la espada y arremetió contra los arrieros, y lo mismo hizo Sancho Panza, incitado y movido del ejemplo de su amo; y a las primeras, dio Don Quijote una cuchillada a uno que le abrió un sayo de cuero de que venía vestido, con gran parte de la espalda.

# IN WHICH IS RELATED THE UNFORTUNATE ADVENTURE THAT DON QUIXOTE FELL IN WITH WHEN HE FELL OUT WITH CERTAIN HEARTLESS YANGUESANS

Don Quixote and his squire came to a halt in a glade covered with tender grass. They dismounted and, turning Rocinante and the ass loose to feed on the grass, they ransacked the saddle-bags, and without any ceremony, very peacefully and sociably, master and man made their repast on what they found in them. Then feeding in this valley there was a drove of Galician ponies, belonging to certain carriers.

It so happened, then, that Rocinante took a fancy to disport himself with their ladyships the ponies, and as he scented them, he got up a briskish little trot and hastened to make known his wishes to them; however, they preferred their pasture to him, and received him with their heels and teeth, to such effect that they soon broke his girths and left him naked without a saddle to cover him. Seeing the carriers the violence he was offering to their mares, came running up armed with stakes, and so belaboured him that they brought him sorely battered to the ground. By this time Don Quixote and Sancho came up panting, and said Don Quixote to Sancho:

"So far as I can see, friend Sancho, these are not knights but base folk of low birth. I mention it because you can lawfully aid me in taking due vengeance for the insult offered to Rocinante before our eyes."

"What the devil vengeance can we take, —asked Sancho— if they are more than twenty and we, no more than two, or, indeed, perhaps, not more than one and a half?"

"I count for a hundred" —replied Don Quixote.

And without more words, he drew his sword and attacked the carriers and, excited and impelled by the example of his master, Sancho did the same; and to begin with, Don Quixote delivered a slash at one of them that laid open the leather jerkin he wore, together with a great portion of his back.

Los arrieros, que se vieron maltratar de aquellos dos hombres solos, siendo ellos tantos, acudieron a sus estacas y cogiendo a los dos en medio, comenzaron a menudear sobre ellos con gran ahínco y vehemencia. Luego viendo la maldad que habían hecho, con la mayor presteza que pudieron, cargaron su recua y siguieron su camino, dejando a los dos aventureros de mala traza y de peor talante.

"De mí sé decir, —dijo el molido caballero Don Quijote— que tengo la culpa de todo, pues no había yo de poner mano a la espada contra hombres que no fuesen armados caballeros como yo."

Sancho acomodó a Don Quijote sobre el asno y puso de reata a Rocinante y, llevando al asno del cabestro, se encaminó, poco más o menos, hacia adonde le pareció que podía estar el camino real.

No hubo andado una pequeña legua cuando descubrió una venta. Porfiaba Sancho que era venta, y su amo que no, sino castillo; y tanto duró la porfía que llegaron a ella sin acabarla, en la cual entró Sancho, sin más averiguación, con toda su recua.

CAPÍTULO VII

# DE LO QUE LE SUCEDIÓ AL INGENIOSO HIDALGO EN LA VENTA QUE ÉL IMAGINABA SER CASTILLO

Tenía el ventero una mujer caritativa que se dolía de las calamidades de sus prójimos; y así, acudió enseguida a curar a Don Quijote, e hizo que una hija suya, doncella de muy buen parecer, le ayudase a curar a su huésped. Servía en la venta asimismo una moza asturiana, que ayudó a la doncella, y las dos hicieron una muy mala cama a Don Quijote en un camaranchón que había servido de pajar muchos años, en el cual también se alojaba un arriero, que tenía su cama un poco más allá de la de nuestro Don Quijote. Y aunque la cama del arriero estaba hecha sólo de las enjalmas y mantas de sus mulas, hacía mucha ventaja a la de Don Quijote, que sólo contenía cuatro mal lisas tablas sobre dos no muy iguales bancos, un colchón, que en lo sutil parecía colcha, y dos sábanas hechas de cuero de adarga.

The carriers, seeing themselves assaulted by only two men while they were so many, betook themselves to their stakes and driving the two into the middle, they began to lay on with great zeal and energy. Then, seeing the mischief they had done, with all the haste they could, they loaded their team and pursued their journey, leaving the two adventurers a sorry sight and in sorrier mood.

"For myself I must say, —said the battered knight Don Quixote— that I take all the blame upon myself, for I had no business to put hand to sword against men who where not dubbed knights like myself."

Sancho fixed Don Quixote on the ass and secured Rocinante with a leading rein and, taking the ass by the halter, he proceeded more or less in the direction in which it seemed to him the high road might be.

He had not gone a short league when he perceived an inn. Sancho insisted that it was an inn, and his master that it was not one, but a castle; and the dispute lasted so long that it was not finished when they arrived there, and Sancho entered without further enquiry, followed by his string of beasts.

Chapter VII

# OF WHAT HAPPENED TO THE INGENIOUS GENTLEMAN IN THE INN WHICH HE TOOK TO BE A CASTLE

The innkeeper had a kind-hearted wife who felt for the sufferings of her neighbours; so she at once set about tending Don Quixote, and made her young daughter, a very good-looking girl, help her in taking care of her guest. There was besides in the inn, as servant, an Asturian lass, who helped the young girl, and the two made up a very bad bed for Don Quixote in a garret that formerly served for many years as a straw-loft, in which there was also quartered a carrier, whose bed was placed a little beyond our Don Quixote's. And although the carrier's bed was only made of the pack-saddles and cloths of his mules, it had much the advantage of it, as Don Quixote's consisted simply of four rough boards on two not very even trestles, a mattress, which for thinness might have passed for a quilt, and two sheets made of the leather used for shields.

En esta maldita cama se acostó Don Quijote, y luego la ventera y su hija le emplastaron de arriba abajo, alumbrándoles Maritornes —que así se llamaba la asturiana.

"¿Cómo se llama este caballero?" —preguntó Maritornes.

"Don Quijote de La Mancha —respondió Sancho Panza—; y es caballero aventurero, y de los mejores y más fuertes que desde mucho tiempo acá se han visto en el mundo."

"¿Qué es caballero aventurero?" —preguntó la moza.

"¿Tan nueva sois en el mundo que no lo sabéis vos? —respondió Sancho Panza—. Pues sabed, hermana mía, que caballero aventurero es una cosa que en dos palabras se ve apaleado y emperador: hoy es la más desdichada criatura del mundo y la más menesterosa, y mañana tendrá dos o tres coronas de reinos que dar a su escudero."

"Pues ¿cómo vos, siéndolo de este tan buen señor, —dijo la ventera— no tenéis, a lo que parece, siquiera algún condado?"

"Aún es temprano, —respondió Sancho— porque no hace sino un mes que andamos buscando aventuras."

Todas estas pláticas estaba escuchando muy atento Don Quijote, y sentándose en el lecho como pudo, tomando de la mano a la ventera, le dijo:

"Os digo, hermosa señora, que tendré eternamente escrito en mi memoria el servicio que me habéis hecho."

Confusas estaban la ventera, su hija y la buena de Maritornes oyendo las razones del caballero andante, que así las entendían como si hablara en griego; y agradeciéndole con venteriles razones sus ofrecimientos, le dejaron, mientras Maritornes curaba a Sancho, que no menos lo había menester que su amo.

On this accursed bed Don Quixote stretched himself, and the hostess and her daughter soon covered him with plasters from top to toe, while Maritornes —for that was the name of the Asturian— held the light for them.

"What is the gentleman's name?" —asked Maritornes.

"Don Quixote de La Mancha —answered Sancho Panza—; and he is a knight-adventurer, and one of the best and stoutest that have been seen in the world this long time past."

"What is a knight-adventurer?" —asked the lass.

"Are you so new in the world that you don't know that? —replied Sancho Panza—. Well, then, you must know, sister, that a knight-adventurer is a thing that in two words is seen beaten up and emperor: that is, today he is the most miserable and needy being in the world, and tomorrow he will have two or three crowns of kingdoms to give his squire."

"Then how is it, that belonging to so good a master as this, —said the hostess— you have not, to judge by appearances, even so much as a county?"

"It is too soon yet, —answered Sancho— for we have only been a month going in quest of adventures."

Don Quixote was listening very attentively to all this conversation, and sitting up in bed as well as he could, and taking the hostess by the hand, he said to her:

"I tell you, fair lady, that I will preserve for ever inscribed on my memory the service you have rendered me."

The hostess, her daughter and the worthy Maritornes listened in bewilderment to the words of the knight-errant, for they understood about as much of them as if he had been talking Greek; and thanking him in pothouse phrase for his civility, they left him, while Maritornes gave her attention to Sancho, who needed it no less than his master.

Había el arriero concertado con ella que aquella noche se refocilarían juntos, y ella le había dado su palabra de que, en estando sosegados los huéspedes y durmiendo sus amos, le iría a buscar y satisfacerle el gusto en cuanto le mandase.

El duro, estrecho y miserable lecho de Don Quijote estaba primero en mitad de aquel estrellado establo, y luego, junto a él, hizo el suyo Sancho, y sucedía a estos dos lechos el del arriero. Después de haber visitado a su recua, el arriero se tendió en sus enjalmas y se puso a esperar a su puntualísima Maritornes.

Sancho procuraba dormir, aunque no lo consentía el dolor de sus costillas; Don Quijote, con el dolor de las suyas, tenía los ojos tan abiertos como una liebre. Toda la venta estaba en silencio, y en toda ella, no había otra luz que la que daba una lámpara que, colgada en medio del portal, ardía.

Esta quietud y los pensamientos que siempre nuestro caballero traía de los sucesos que a cada paso se cuentan en los libros autores de su desgracia, le trajo a la imaginación una extraña locura. Se imaginó haber llegado a un famoso castillo, y que la hija del ventero lo era del señor del castillo. Ella se había enamorado de él y le había prometido que aquella noche, a hurto de sus padres, vendría a yacer con él un buen rato; y teniendo toda esta quimera por firme y valedera, comenzó a pensar en el peligroso trance en que su honestidad se había de ver, y se propuso en su corazón no cometer alevosía contra su señora Dulcinea del Toboso.

Pensando, pues, en estos disparates, llegó el tiempo y la hora de la venida de Maritornes, la cual, con tácitos y cautos pasos, entró en el aposento donde los tres se alojaban; pero apenas llegó a la puerta cuando Don Quijote la sintió y, sentándose en la cama, tendió los brazos para recibir a su hermosa doncella. La asturiana, que iba con las manos delante buscando a su querido, topó con los brazos de Don Quijote, el cual la asió fuertemente de la muñeca y, tirándola hacia sí, la hizo sentarse sobre la cama. Le tentó luego la camisa, que, aunque era de arpillera, a él le pareció ser de finísimo y delgado cendal. Traía en las muñecas unas cuentas de vidrio, ...

The carrier had made an arrangement with her for recreation that night, and she had given him her word that, when the guests were quiet and the family asleep, she would come in search of him and meet his wishes unreservedly.

The hard, narrow and wretched bed of Don Quixote stood first in the middle of this star-lit stable, and close beside it, Sancho made his, and next to these two beds was that of the carrier. After having paid a visit to his team, the carrier stretched himself on his pack-saddles and lay waiting for his conscientious Maritornes.

Sancho strove to sleep, although the pain of his ribs would not let him; Don Quixote, with the pain of his, had his eyes as wide open as a hare's. The inn was all in silence, and in the whole of it, there was no light except that given by a lantern that hung burning in the middle of the gateway.

This stillness and the thoughts, always present to our knight's mind, of the incidents described at every turn in the books that were the cause of his misfortune, conjured up to his imagination an extraordinary delusion. He fancied himself to have reached a famous castle, and that the daughter of the innkeeper was daughter of the lord of the castle. She had fallen in love with him and had promised to come to his bed for a while that night without the knowledge of her parents; and holding all this fantasy as solid fact, he began to consider the perilous risk which his virtue was about to encounter, and he resolved in his heart to commit no treason to his lady Dulcinea del Toboso.

While he was taken up with these vagaries, the time and the hour arrived for Maritornes to come, who with noiseless and cautious steps, entered the chamber where the three were quartered; but scarcely had she gained the door when Don Quixote perceived her and, sitting up in his bed, he stretched out his arms to receive his beauteous damsel. The Asturian, who went with her hands before her feeling for her lover, encountered the arms of Don Quixote, who grasped her tightly by the wrist and, drawing her towards him, made her sit down on the bed. He then felt her smock, which, although it was of sackcloth, it appeared to him to be of the finest and softest silk. She wore on her wrists some glass beads, ...

pero a él le dieron vislumbres de preciosas perlas de Oriente. Los cabellos, que en alguna manera tiraban a crines, él los marcó por hebras de lucidísimo oro de Arabia; el aliento, que, sin duda alguna, olía a ensalada de fiambre y trasnochada, a él le pareció que arrojaba de su boca un olor suave y aromático; y, finalmente, él la pintó en su imaginación con las mismas características y del mismo modo que lo había visto en sus libros.

Maritornes, sin entender ni estar atenta a las razones que él le decía, procuraba desasirse. El arriero escuchaba atentamente todo lo que Don Quijote decía; y, celoso de que la asturiana le hubiese faltado a la palabra por otro, se acercó más al lecho de Don Quijote y se estuvo quedo hasta ver en qué paraban aquellas razones, que él no podía entender; pero como vio que Maritornes forcejaba por desasirse y Don Quijote pugnaba por retenerla, pareciéndole mal la burla, enarboló el brazo en alto y descargó tan terrible puñetazo sobre las estrechas quijadas del enamorado caballero, que le bañó toda la boca en sangre; y no contento con esto, se le subió encima de las costillas, y con los pies más que de trote, se las pateó todas de cabo a rabo. El lecho, no pudiendo sufrir la añadidura del arriero, se derrumbó, a cuyo gran ruido despertó el ventero; se levantó y, encendiendo un candil, se fue aprisa hacia adonde había sentido el alboroto. Maritornes, viendo que su amo venía, se acogió a la cama de Sancho Panza, y acurrucándose allí, se hizo un ovillo.

En esto, Sancho se despertó y, sintiendo aquel bulto casi encima, pensó que tenía una pesadilla y comenzó a dar puñetazos a una y otra parte, y, entre otras, alcanzó con no sé cuantos a Maritornes, la cual, sentida de dolor, dio el retorno a Sancho con tantas que, a su despecho, le quitó el sueño. Entonces él, viéndose tratar de aquella manera y sin saber de quién, alzándose como pudo, se abrazó con Maritornes, y comenzaron los dos la más reñida y graciosa escaramuza del mundo. Viendo, pues, el arriero, a la lumbre del candil del ventero, cuál andaba su dama, dejando a Don Quijote, acudió a darle el socorro necesario. Y fue lo bueno que al ventero se le apagó el candil, y como estaban a oscuras, se pegaban tan sin compasión todos a bulto que adondequiera que ponían la mano no dejaban cosa sana.

but to him they had the sheen of precious Orient pearls. Her hair, which in some measure resembled a horse's mane, he rated as threads of the brightest gold of Araby; her breath, which no doubt smelt of yesterday's stale salad, seemed to him to diffuse a sweet aromatic fragrance from her mouth; and, in short, he drew her portrait in his imagination with the same features and in the same style as that which he had seen in his books.

Maritornes, not understanding or heeding the words he addressed to her, strove to free herself. The carrier was listening attentively to all Don Quixote said; and, jealous that the Asturian should have broken her word with him for another, drew nearer to Don Quixote's bed and stood still to see what would come of that talk, which he could not understand; but when he perceived Maritones struggling to get free and Don Quixote striving to hold her, not relishing the joke, he raised his arm and delivered such a terrible punch on the lank jaws of the amorous knight, that his mouth was filled in blood; and not content with this, he mounted on his ribs and with his feet trampled all over them at a pace rather smarter than a trot. The bed, unable to support the additional weight of the carrier, came to the ground, and at the mighty crash of this, the innkeeper awoke; he got up and, lighting a lamp, hastened to the quarter where he had heard the disturbance. Maritornes, seeing that her master was coming, made for the bed of Sancho Panza, and crouching upon it, made a ball of herself.

At this, Sancho awoke and, feeling this mass almost on top of him, fancied he had a nightmare and began to distribute punches all round, of which a certain share fell upon Maritornes, who, irritated by the pain, paid back so many in return to Sancho that she woke him up in spite of himself. Then he, finding himself thus treated and not knowing by whom, raising himself up as well as he could, grappled with Maritornes, and he and she between them began the bitterest and drollest scrimmage in the world. The carrier, however, perceiving by the light of the innkeeper candle, how it fared with his ladylove, quitting Don Quixote, ran to bring her the help she needed. And the best of it was that the innkeeper's lamp went out, and as they were left in the dark, they all laid on one upon the other in a mass so unmercifully that there was not a sound spot left where a hand could light.

Se alojaba acaso aquella noche en la venta un cuadrillero de los que llaman de la Santa Hermandad Vieja de Toledo, el cual, oyendo asimismo el extraordinario estruendo de la pelea, asió su media vara y entró a oscuras en el aposento, gritando:

"¡Ténganse a la justicia! ¡Ténganse a la Santa Hermandad!"

El primero con quien topó fue con Don Quijote, que estaba en su derribado lecho, tendido boca arriba, sin sentido; y, echándole a tientas mano a las barbas, vio que Don Quijote no se meneaba; creyó que estaba muerto y que los que estaban en el aposento eran sus asesinos, y, con esta sospecha, reforzó la voz, diciendo:

"¡Ciérrese la puerta de la venta! ¡Miren que no se vaya nadie, que han matado aquí a un hombre!"

Esta voz sobresaltó a todos. Se retiró el ventero a su aposento; el arriero, a sus enjalmas; la moza, a su rancho; los desventurados Don Quijote y Sancho no se pudieron mover de donde estaban. Soltó el cuadrillero la barba de Don Quijote y salió a buscar una luz para buscar y prender a los delincuentes; pero al no encontrarla, porque el ventero, de industria, había muerto la lámpara cuando se retiró a su estancia, le fue forzoso acudir a la chimenea, donde, con mucho trabajo y tiempo, encendió el cuadrillero otro candil.

Capítulo VIII

# DONDE SE PROSIGUEN LOS INNUMERABLES TRABAJOS QUE DON QUIJOTE Y SANCHO PANZA PASARON EN LA VENTA QUE, POR SU MAL, PENSÓ QUE ERA CASTILLO

Había ya vuelto en este tiempo de su paroxismo Don Quijote, y comenzó a llamar a su escudero, diciendo:

It so happened that there was lodging that night in the inn an officer of what they call the Old Holy Brotherhood of Toledo, who, also hearing the extraordinary noise of the conflict, seized his wand of office and made his way in the dark into the room, crying:

"Hold in the name of justice! Hold in the name of the Holy Brotherhood!"

The first that he came upon was Don Quixote, who lay stretched senseless on his back upon his broken-down bed; and, his hand falling on the beard as he felt about, he saw that Don Quixote did not move; he concluded that he was dead and that those in the room were his murderers, and with this suspicion, he raised his voice still higher, calling out:

"Shut the inn gate! See that no one goes out; they have killed a man here!"

This cry startled them all. The innkeeper retreated to his room; the carrier, to his pack-saddles; the lass, to her crib; the unlucky Don Quixote and Sancho alone were unable to move from where they were. The officer let go Don Quixote's beard and went out to look for a light to search for and apprehend the culprits; but not finding one, as the innkeeper had purposely extinguished the lantern on retreating to his room, he was compelled to have recourse to the hearth, where, after much time and trouble, the officer lit another lamp.

CHAPTER VIII

## IN WHICH ARE CONTAINED THE INNUMERABLE TROUBLES WHICH DON QUIXOTE AND SANCHO PANZA ENDURED IN THE INN WHICH, TO HIS MISFORTUNE HE TOOK, TO BE A CASTLE

By this time Don Quixote had recovered from his swoon, and he began to call his squire, saying:

"Sancho, amigo mío, ¿estás dormido? ¿Duermes, amigo Sancho?"

"¿Qué voy a dormir, —respondió Sancho, lleno de pesadumbre y de despecho— que no parece sino que todos los diablos han andado conmigo esta noche?"

"Lo puedes creer así, sin duda, —respondió Don Quijote— porque este castillo está encantado. Y así has de saber que esta noche me ha sucedido una de las más extrañas aventuras que yo podría describir. Sabrás que hace poco que a mí vino la hija del señor de este castillo, y que es la más apuesta y hermosa doncella que en gran parte de la tierra se puede hallar. Y al tiempo que yo estaba con ella en dulcísimos y amorosísimos coloquios, vino una mano pegada a algún brazo de algún descomunal gigante y me asestó un puñetazo en las mandíbulas, tal, que las tengo todas bañadas en sangre."

"Pero dígame, señor, —dijo Sancho— ¿cómo llama a ésta buena y rara aventura, habiendo quedado de ella cual quedamos? Aun vuestra merced, menos mal, pues tuvo en sus manos aquella incomparable hermosura que ha dicho; pero yo, ¿qué tuve sino los mayores porrazos que pienso recibir en toda mi vida?"

"Luego, ¿también a ti te han aporreado?" —dijo Don Quijote.

"¿No le he dicho que sí?" —respondió Sancho.

"No tengas pena, amigo —dijo Don Quijote—; que yo haré ahora un bálsamo precioso con que sanaremos en un abrir y cerrar de ojos. Y no hay que hacer caso de estas cosas de encantamientos, ni hay para qué tomar cólera ni enojo con ellas, que como son invisibles y fantásticas, no hallaremos de quién vengarnos aunque más lo procuremos. Levántate, Sancho, si puedes, y llama al alcaide de esta fortaleza, y procura que me dé un poco de aceite, vino, sal y romero para hacer el bálsamo, que en verdad creo que lo necesito ahora porque se me va mucha sangre por la herida que ese fantasma me hizo."

"Sancho, my friend, are you asleep? Do you sleep, friend Sancho?"

"How can I sleep, —returned Sancho discontentedly and bitter-ly— when it is plain that all the devils have been at me this night?"

"You may well believe that, —answered Don Quixote— because this castle is enchanted. And so I would have you know that this night there befell me one of the strangest adventures that I could describe. You must know that a little while ago the daughter of the lord of this castle came to me, and that she is the most elegant and beautiful damsel that could be found in the wide world. And at the time when I was engaged in the sweetest and most amorous discourse with her, there came a hand attached to some arm of some huge giant and planted such a punch on my jaws that I have them all bathed in blood."

"But tell me, sir, —said Sancho— what do you call this excellent and rare adventure that has left us as we are left now? At least your worship was not so badly off, having in your arms that incomparable beauty you spoke of; but I, what did I have except the heaviest whacks I think I had in all my life?"

"Then you have been thrashed too?" —said Don Quixote.

"Didn't I say so?" —replied Sancho.

"Be not distressed, friend —said Don Quixote—; for I will now make a precious balsam with which we shall cure ourselves in the twinkling of an eye. And there is no use in troubling oneself about these matters of enchantment or being angry or vexed at them, for as they are invisible and visionary, we will find no one on whom to avenge ourselves, do what we may. Rise, Sancho, if you can, and call the warden of this fortress, and get him to give me a little oil, wine, salt, and rosemary to make the balsam, for indeed I believe I have great need of it now because I am losing much blood from the wound that phantom gave me."

Se levantó Sancho con harto dolor de sus huesos, y fue a oscuras adonde estaba el ventero. El ventero le proveyó de cuanto quiso, y Sancho se lo llevó a su amo. Don Quijote tomó sus simples, de los cuales hizo un compuesto mezclándolos todos y cociéndolos un buen rato. Se bebió aquel precioso bálsamo, y se quedó dormido más de tres horas, al cabo de las cuales despertó y se sintió aliviadísimo del cuerpo, y quiso marcharse enseguida a buscar aventuras, pareciéndole que todo el tiempo que allí se tardaba era quitárselo al mundo y a los en él menesterosos de su favor y amparo. Y así, forzado de este deseo, él mismo ensilló a Rocinante y enalbardó al jumento de su escudero, a quien también ayudó a vestir y a subir al asno. Montó a caballo y, acercándose a un rincón de la venta, asió un lanzón que allí estaba para que le sirviese de lanza.

En cuanto estuvieron los dos a caballo, a la puerta de la venta, llamó al ventero, y con voz muy reposada y grave le dijo:

"Señor, muchas y muy grandes son las mercedes que en este vuestro castillo he recibido, y quedo obligadísimo a agradecéroslas todos los días de mi vida. Si os las puedo pagar vengándoos de algún soberbio enemigo que os haya hecho algún agravio, sabed que mi oficio no es otro sino valer a los que poco pueden, vengar a los que sufren agravios y castigar alevosías. Recorred vuestra memoria, y si halláis alguna cosa de este jaez que encomendarme, no hay sino decirla, que yo os prometo, por la orden de caballero que recibí, procuraros satisfacción y reparación a toda vuestra voluntad."

"Señor caballero, —respondió el ventero con el mismo sosiego— yo no tengo necesidad de que vuestra merced me vengue de ningún agravio, porque yo sé tomar la venganza que me parece cuando se me hacen. Sólo he menester que vuestra merced me pague el gasto que esta noche ha hecho en la venta, así de la paja y cebada de sus dos bestias como de la cena y camas."

"Luego, ¿venta es ésta?" —preguntó Don Quijote.

"Y muy honrada" —respondió el ventero.

Sancho got up with pain enough in his bones, and went after the innkeeper in the dark. The innkeeper furnished him with what he required, and Sancho brought it to his master. Don Quixote took the materials, of which he made a compound, mixing them all and boiling them a good while. He drank that precious balsam, and he lay sleeping more than three hours, at the end of which he awoke and felt very great bodily relief, and was eager to take his departure at once in quest of adventures, as it seemed to him that all the time he loitered there was a fraud upon the world and those in it who stood in need of his help and protection. And so, urged by this impulse, he saddled Rocinante himself and put the pack-saddle on his squire's beast, whom likewise he helped to dress and mount the ass. He mounted his horse and, turning to a corner of the inn, he laid hold of a pike that stood there to serve him by way of a lance.

As soon as they were both mounted, at the gate of the inn, he called to the innkeeper and said in a very grave and measured voice:

"Sir, many and great are the favours that I have received in this castle of yours, and I remain under the deepest obligation to be grateful to you for them all the days of my life. If I can repay them in avenging you of any arrogant foe who may have wronged you, know that my calling is no other than to aid the weak, to avenge those who suffer wrong and to chastise perfidy. Search your memory, and if you find anything of this kind you need, only tell me of it, for I promise you, by the order of knighthood which I have received, to procure you satisfaction and reparation to the utmost of your desire."

"Sir knight, —replied the innkeeper with equal calmness— I do not want your worship to avenge me of any wrong, because when any is done to me, I can take what vengeance seems good to me. The only thing I want is that you pay me the score that you have run up in the inn last night, as well for the straw and barley for your two beasts, as for supper and beds."

"Then, this is an inn?" —asked Don Quixote.

"And a very respectable one" —replied the innkeeper.

"Engañado he vivido hasta aquí —dijo Don Quijote—; que en verdad que pensé que era castillo. Pero pues es así que no es castillo sino venta, lo que se podrá hacer por ahora es que perdonéis el pago, que yo no puedo contravenir la orden de los caballeros andantes, de los cuales sé cierto que jamás pagaron posada ni otra cosa en venta donde estuviesen, porque se les debe de fuero y de derecho la hospitalidad que reciben, en pago del insufrible trabajo que padecen buscando aventuras de noche y de día, en invierno y en verano, a pie y a caballo, con hambre y con sed, con calor y con frío, sujetos a todas las inclemencias del cielo y a todos los incomodos de la tierra."

"¡Poco tengo yo que ver en eso —respondió el ventero—; págueseme lo que se me debe, y dejémonos de cuentos ni de caballerías!"

"¡Vos sois un majadero y un ventero canallesco!" —exclamó Don Quijote. Y espoleando a Rocinante y terciando su lanzón, salió de la venta sin que nadie le detuviese, y sin mirar si le seguía su escudero. El ventero, que le vio ir y que no le pagaba, acudió a cobrar de Sancho, el cual dijo que pues su señor no había querido pagar, que tampoco él pagaría, porque, siendo él escudero de caballero andante, como era, la misma regla y razón corría por él como por su amo en no pagar cosa alguna en los mesones y ventas. El ventero se encolerizó y le amenazó con que si no le pagaba, que lo cobraría de modo que le pesara. Quiso la mala suerte del desdichado Sancho que entre la gente que estaba en la venta se hallase gente alegre, bien intencionada, maleante y juguetona, los cuales corrieron hasta Sancho y le bajaron del burro, mientras uno de ellos entraba por la manta de la cama del huésped; y echándole en ella, comenzaron a levantarle en alto, y a holgarse con él.

Las voces que Sancho daba fueron tantas que llegaron a los oídos de su amo, el cual, volviendo las riendas, con un penado galope llegó a la venta. Nada más llegar a las paredes del corral, vio el mal juego que se le hacía a su escudero. Probó a subir desde el caballo a las bardas, pero estaba tan molido y quebrantado que aun apearse no pudo; y así, desde encima del caballo, ...

"I have been under a mistake all this time —said Don Quixote—; for in truth I thought it was a castle. But since it appears that it is not a castle but an inn, all that can be done now is that you should excuse the payment, for I cannot contravene the rule of knights-errant, of whom I know as a fact that they never paid for lodging or anything else in the inn where they might be, for whatever hospitality they receive is their due by law and right, in return for the insufferable toil they endure in seeking adventures by night and by day, in summer and in winter, on foot and on horseback, in hunger and thirst, cold and heat, exposed to all the inclemency of heaven and all the hardships of earth."

"I have little to do with that —replied the innkeeper—; pay me what you owe me, and let us have no more talk of chivalry!"

"You are a stupid, scurvy innkeeper!" —exclaimed Don Quixote. And putting spurs to Rocinante and bringing his pike to the slope, he rode out of the inn before anyone could stop him, and without looking to see if his squire was following him. The innkeeper, when he saw him go without paying him, ran to get payment of Sancho, who said that as his master would not pay neither would he, because, being as he was squire to a knight-errant, the same rule and reason held good for him as for his master with regard to not paying anything in hostelries and inns. At this the innkeeper waxed very wroth and threatened, if he did not pay, to compel him in a way that he would not like. The ill-luck of the unfortunate Sancho so ordered it that among the company in the inn there were lively fellows, tender-hearted, fond of jokes, and playful, who ran up to Sancho and dismounted him from his donkey, while one of them went in for the blanket of the host's bed; and on flinging him into it, they began to toss him up, making sport with him.

Sancho's cries were so loud that they reached the ears of his master, who, wheeling about, turned towards the inn at a laborious gallop. As soon as he came to the wall of the yard, he discovered the game that was being played with his squire. He tried to climb from his horse on to the top of the wall, but he was so bruised and battered that he could not even dismount; and so, from the back of his horse, ...

comenzó a decir tales improperios a los que a Sancho manteaban, que no es posible acertar a escribirlos; mas no por esto cesaban ellos de su risa y de su obra hasta que de puro cansados le dejaron. Le trajeron allí su asno y le montaron encima. La compasiva de Maritornes, viéndole tan fatigado, le pareció ser bien socorrerle con un jarro de agua, y así se la trajo del pozo, por ser más fría. Sancho la tomó, mas como al primer trago vio que era agua, no quiso pasar adelante y rogó a Maritornes que le trajera vino.

En cuanto se bebió el vino, dio de los carcaños a su asno, y por la puerta de la venta abierta de par en par, salió de ella muy contento de no haber pagado nada por el vino.

CAPÍTULO IX

## DONDE SE CUENTAN LAS RAZONES QUE PASÓ SANCHO PANZA CON SU SEÑOR DON QUIJOTE, CON OTRAS AVENTURAS DIGNAS DE SER CONTADAS

Llegó Sancho a su amo marchito y desmayado, tanto, que no podía arrear a su jumento. Cuando Don Quijote vio el estado en que estaba, le dijo:

"Ahora acabo de creer, Sancho bueno, que aquel castillo o venta está encantado, sin duda, porque aquellos que tan atrozmente tomaron pasatiempo contigo, ¿qué podrían ser sino fantasmas y gente de otro mundo?"

"Tengo para mí, —respondió Sancho— que aquellos no eran fantasmas ni hombres encantados, como vuestra merced dice, sino hombres de carne y hueso como nosotros. Y lo que yo saco en limpio de todo esto es que estas aventuras que andamos buscando al cabo nos han de traer tantas desventuras que no sepamos cuál es nuestro pie derecho; y que lo que sería mejor y más acertado, según mi poco entendimiento, fuera el volvernos a casa, ahora que es tiempo de la siega."

he began to hurl abuse at those who were tossing Sancho up, as it would be impossible to write it down accurately; they, however, did not stay their laughter or their work for this until from pure weariness they left off. They then brought him his ass and mounted him on top of it. The compassionate Maritornes, seeing him so exhausted, thought fit to refresh him with a jug of water, and that it might be all the cooler she fetched it from the well. But as at the first sup Sancho perceived it was water, he did not care to go on with it and begged Maritornes to fetch him some wine.

As soon as he had finished the wine, he dug his heels into his ass's sides, and the gate of the inn being thrown open, he passed out very well pleased at having paid nothing for the wine.


CHAPTER IX

# IN WHICH IS RELATED THE DISCOURSE SANCHO PANZA HELD WITH HIS MASTER DON QUIXOTE, AND OTHER ADVENTURES WORTH RELATING

Sancho reached his master so limp and faint that he could not urge on his beast. When Don Quixote saw the state he was in, he said:

"I have now come to the conclusion, good Sancho, that that castle or inn is beyond a doubt enchanted, because those who have so atrociously amused themselves with you, what could they be but phantoms or beings of another world?"

"For my part, —replied Sancho— I am persuaded that they were not phantoms or enchanted men, as your worship says, but men of flesh and bone like ourselves. And what I make out clearly from all this is that these adventures we go seeking will in the end lead us into such misadventures that we shall not know which is our right foot; and that the best and wisest thing, according to my small wits, would be for us to return home, now that it is harvest time."

"Calla y ten paciencia, —dijo Don Quijote— que día vendrá donde verás con tus propios ojos cuán honrosa cosa es seguir esta profesión."

En estos coloquios iban Don Quijote y su escudero, cuando se hallaron en un espacioso y escondido valle, donde se apearon. Sancho alivió al jumento, y tendidos sobre la verde hierba, con la salsa del hambre, desayunaron, almorzaron, comieron y cenaron, todo a la vez. Cuando terminaron de comer, montaron de nuevo a caballo. Aquella noche llegaron a la mitad de las entrañas de Sierra Morena, donde hicieron noche entre dos peñas y muchos alcornoques.

Salió la aurora alegrando la tierra y entristeciendo a Sancho Panza, porque se encontró con que su asno no estaba. Don Quijote, que vio el lamento y supo la causa, consoló a Sancho con las mejores razones que pudo, y le rogó que tuviese paciencia, prometiendo darle una cédula de cambio para que le diesen tres pollinos de los cinco que tenía en su casa. Se consoló Sancho con esto, se limpió las lágrimas, templó sus sollozos y agradeció a Don Quijote la merced que le hacía. Luego subió Don Quijote sobre Rocinante, quedándose Sancho a pie, donde de nuevo se le renovó la pérdida del burro.

CAPÍTULO X

# QUE TRATA DE LAS EXTRAÑAS COSAS QUE EN SIERRA MORENA SUCEDIERON AL VALIENTE CABALLERO DE LA MANCHA

Llegaron, en estas pláticas, al pie de una alta montaña. Corría por su falda un manso arroyuelo; hacíase por toda su redondez un prado tan verde y vicioso que daba contento a los ojos que lo miraban. Había por allí muchos árboles silvestres, arbustos y flores. Este sitio escogió Don Quijote para hacer su penitencia, y exclamó en voz alta como si estuviera sin juicio:

"Be silent and have patience, —said Don Quixote— for the day will come when you will see with your own eyes what an honourable thing it is to follow this profession."

Thus talking, Don Quixote and his squire were going along, when they found themselves in a wide and retired valley, where they alighted. Sancho unloaded his beast, and stretched upon the green grass, with hunger for sauce, they breakfasted, dined, lunched and supped, all in one. When they finished their meal, they mounted again. That night they reached the very heart of Sierra Morena, where they encamped between two rocks and among numerous cork trees.

Dawn made her appearance bringing gladness to the earth but sadness to Sancho Panza, for he found that his ass was missing. Don Quixote, when he heard the lament and learned the cause, consoled Sancho with the best arguments he could, entreating him to be patient, and promising to give him a letter of exchange ordering three out of the five ass-colts that he had at home to be given to him. Sancho took comfort at this, dried his tears, suppressed his sobs and returned thanks for the kindness shown him by Don Quixote. Don Quixote then mounted Rocinante, Sancho being left to go on foot, which made him feel anew the loss of his donkey.

CHAPTER X

# WHICH TREATS OF THE STRANGE THINGS THAT HAPPENED TO THE STOUT KNIGHT OF LA MANCHA IN SIERRA MORENA

Thus talking, they reached the foot of a high mountain. Past its base there flowed a gentle brook; all around it spread a meadow so green and luxuriant that it was a delight to the eyes to look upon it. There were forest trees in abundance, some shrubs and flowers. Upon this place Don Quixote fixed his choice for the performance of his penance, and he exclaimed in a loud voice as though he were out of his senses:

"Este es el lugar ¡oh cielos! que escojo para llorar la desventura en que vosotros mismos me habéis puesto. ¡Oh Dulcinea del Toboso, día de mi noche, norte de mis caminos! ¡Considera el lugar y el estado a que tu ausencia me ha conducido! ¡Y tú, escudero mío, toma bien en la memoria lo que aquí me verás hacer, para que se lo cuentes y recites a la causa total de todo ello!"

Y diciendo esto, se apeó de Rocinante y en un momento le quitó el freno y la silla; luego dijo:

"Y digo Sancho que de aquí a tres días te partirás, porque quiero que en este tiempo veas lo que por ella hago y digo, para que se lo digas con una carta."

"Pues ¿qué más tengo que ver además de lo que he visto?" —dijo Sancho.

"¡Bien estás en el cuento! —respondió Don Quijote—. Ahora me falta rasgar las vestiduras y darme de calabazadas por estas peñas, con otras cosas de este jaez que te han de admirar."

"Por amor de Dios, —dijo Sancho— que mire vuestra merced cómo se da esas calabazadas. Su merced podría contentarse, digo, con dárselas en el agua, o en alguna cosa blanda, como algodón; y déjeme a mí el cargo, que yo diré a mi señora Dulcinea que vuestra merced se las daba en una punta de peña más dura que la de un diamante."

"Yo agradezco tu buena intención, amigo Sancho —respondió Don Quijote—; pero todas estas cosas que hago no son de broma, sino muy de veras, porque de otra manera sería contravenir las órdenes de caballería, que nos mandan que no digamos mentira alguna. Pero, ¿qué haremos para escribir la carta?"

"¿Y la libranza pollinesca, también?" —añadió Sancho.

"This is the place, oh, heavens! that I select and choose for bewailing the misfortune in which you yourselves have plunged me. Oh, Dulcinea del Toboso, day of my night, guide of my path! Think of the place and condition to which the absence from you has brought me! And you, my squire, fix well in your memory what you will see me do here, so that you may relate and report it to the sole cause of all!"

And so saying, he dismounted from Rocinante and in an instant relieved him of saddle and bridle; then he said:

"And I say Sancho, three days hence you will depart, for I wish you to observe in the meantime what I do and say for her sake, that you may be able to tell her with a letter."

"But what more have I to see besides what I have seen?" —said Sancho.

"Much you know about it! —replied Don Quixote—. I have now got to tear up my garments, knock my head against these rocks, and more of the same sort of thing which you must witness."

"For the love of God, —said Sancho— be careful, your worship, how you give yourself those knocks on the head. Your worship might be content, I say, with giving them to yourself in the water, or against something soft, like cotton; and leave it all to me; for I'll tell my lady Dulcinea that your worship knocked your head against a point of rock harder than a diamond."

"I thank you for your good intentions, friend Sancho —answered Don Quixote—; but all these things I am doing are not in joke, but very much in earnest, for anything else would be a transgression of the ordinances of chivalry, which forbid us to tell any lie whatever. But, how can we manage to write the letter?"

"And the ass-colt order, too?" —added Sancho.

"Todo irá incluido —dijo Don Quijote—. Sería bueno escribirla en ese librillo de memoria que tenemos en las alforjas. Tú tendrás cuidado de hacerla trasladar en papel, de buena letra, en el primer lugar que encuentres donde haya un maestro de escuela."

"Pero, ¿qué se ha de hacer de la firma?" —preguntó Sancho.

"Nunca las cartas de Amadís se firmaron" —respondió Don Quijote.

"Eso está muy bien, —dijo Sancho— pero la libranza forzosamente se ha de firmar, y ésa si se traslada, dirán que la firma es falsa, y me quedaré sin los pollinos."

"La libranza irá en el mismo librillo firmada, —dijo Don Quijote— y al verla, mi sobrina no pondrá dificultad en cumplirla. Y en lo que toca a la carta de amores, pondrás por firma: *Vuestro hasta la muerte, el Caballero de la Triste Figura.* Y hará poco al caso que vaya de mano ajena, porque, por lo que recuerdo, Dulcinea no sabe escribir ni leer, y en toda su vida ha visto letra mía ni carta mía, porque mis amores y los suyos han sido siempre platónicos. Y osaré jurar con verdad que en doce años que ha que la quiero más que a la lumbre de estos ojos que han de comer la tierra, no la he visto cuatro veces. Tal es el recato y encerramiento con que su padre Lorenzo Corchuelo y su madre Aldonza Nogales la han criado."

"¡Ta, ta! —exclamó Sancho—. ¿Que la hija de Lorenzo Corchuelo es la señora Dulcinea del Toboso, llamada por otro nombre Aldonza Lorenzo?"

"Esa es —dijo Don Quijote—: la que merece ser señora de todo el universo."

"Bien la conozco, —dijo Sancho— y sé decir que tira tan bien una palanca como el más forzudo zagal de todo el pueblo. Es moza de chapa, hecha y derecha. ¡Y qué voz tiene! Sé decir que se puso un día encima del campanario de la aldea a llamar a unos zagales suyos que andaban en un barbecho de su padre, y aunque estaban de allí a más de media legua, así la oyeron como si estuvieran al pie de la torre. Y lo mejor que tiene es que no es nada melindrosa, porque tiene mucho de cortesana, ...

"All shall be included —said Don Quixote—. It would be well done to write it in the note-book we have in the saddle-bags. "You will take care to have it copied on paper, in a good hand, at the first village you come to where there is a schoolmaster."

"But, what is to be done about the signature?" —asked Sancho.

"The letters of Amadis were never signed" —replied Don Quixote.

"That is all very well, —said Sancho— but the order must be signed, and if it is copied, they will say the signature is false, and I will be left without the ass-colts."

"The order shall go signed in the same book, —said Don Quixote— and on seeing it, my niece will make no difficulty about obeying it; as to the love letter, you can put by way of signature: *Yours till death, the Knight of the Sad Countenance.* And it will be no great matter if it is in some other person's hand, for as well as I recollect, Dulcinea can neither read nor write, nor in the whole course of her life has she seen handwriting or letter of mine, for my love and hers have been always platonic. And I can safely swear I have not seen her four times in all these twelve years I have been loving her more than the light of these eyes that the earth will one day devour. Such is the retirement and seclusion in which her father Lorenzo Corchuelo and her mother Aldonza Nogales have brought her up."

"So, so! —exclaimed Sancho—. Lorenzo Corchuelo's daughter is the lady Dulcinea del Toboso, otherwise called Aldonza Lorenzo?"

"She it is —said Don Quixote—: the one who is worthy to be lady of the whole universe."

"I know her well, —said Sancho— and let me tell you she can fling a crowbar as well as the lustiest lad in all the town. She is a brave lass, and a right and stout one. And what a voice! I can tell you one day she posted herself on the top of the belfry of the village to call some labourers of theirs that were in a ploughed field of her father's, and though they were better than half a league off, they heard her as well as if they were at the foot of the tower. And the best of her is that she is not a bit prudish, for she has plenty of affability, ...

con todos se burla y de todo hace mueca y donaire. Y querría ya verme en camino, sólo por verla, que hace muchos días que no la veo, y debe de estar ya trocada; porque gasta mucho la faz de las mujeres andar siempre en el campo, al sol y al aire. Pero confieso a vuestra merced una verdad, señor Don Quijote: hasta ahora pensaba bien y fielmente que la señora Dulcinea debía de ser alguna princesa de quien vuestra merced estaba enamorado, o alguna persona tal que mereciese los ricos presentes que vuestra merced le ha enviado."

"Ya te tengo dicho antes de ahora muchas veces, Sancho, —dijo Don Quijote— que eres un grandísimo hablador. Bástame a mí pensar y creer que la buena de Aldonza Lorenzo es hermosa y honesta. Yo, por mi parte, me hago cuenta de que es la más alta princesa del mundo, y la pinto en mi imaginación como la deseo, así en la belleza como en la principalidad."

"Digo que en todo tiene vuestra merced razón, —replicó Sancho— y que yo soy un asno. Pero venga la carta, y con Dios, que me voy."

Sacó el libro de memoria Don Quijote y comenzó a escribir la carta. Al acabarla, llamó a Sancho, diciendo que se la quería leer, para que se la aprendiese de memoria, si acaso se le perdiese por el camino.

"Escucha, que así dice" —dijo Don Quijote: Carta de Don Quijote a Dulcinea del Toboso:

*Soberana y alta señora:*

*El herido de punta de ausencia y el llagado de las telas del corazón te envía, dulcísima Dulcinea del Toboso, la salud que él no tiene. Si tu hermosura me desprecia, si tu valor no es en mi pro, si tu desdén es mi aflicción, mal podré sostenerme en esta cuita, que, además de ser fuerte, es muy duradera. Mi buen escudero Sancho te dará entera relación —¡oh amada enemiga mía! — del modo que por tu causa quedo: si gustares de socorrerme, tuyo soy; y si no, haz lo que te viniere en gusto, que, con acabar mi vida, habré satisfecho tu crueldad y mi deseo.*

*Tuyo hasta la muerte, El Caballero de la Triste Figura."*

and jokes with everybody, and has a grin and a jest for everything. And I wish I were on my road already, simply to see her, for it is many a day since I saw her, and she must be altered by this time, for going about the fields always, and the sun and the air spoil women's looks greatly. But I must own the truth to your worship, Sir Don Quixote: until now I believed truly and honestly that the lady Dulcinea must be some princess your worship was in love with, or some person great enough to deserve the rich presents you have sent her."

"I have before now told you many times, Sancho, —said Don Quixote— that you are a mighty great chatterer. It suffices me to think and believe that the good Aldonza Lorenzo is fair and virtuous. I, for my part, reckon her the most exalted princess in the world, and I picture her in my imagination as I would have her to be, as well in beauty as in condition."

"I say that your worship is entirely right, —replied Sancho— and that I am an ass. But now give me the letter, and then, God be with you, I am off."

Don Quixote took out the note-book and began to write the letter. When he had finished it, he called Sancho, saying he wished to read it to him, so that he might commit it to memory, in case of losing it on the road.

"Listen, this is what it says: —said Don Quixote— Don Quixote's Letter to Dulcinea del Toboso:

*Sovereign and exalted Lady,*

*The pierced by the point of absence and the wounded to the heart's core sends you, sweetest Dulcinea del Toboso, the health that he himself does not enjoy. If your beauty despises me, if your worth is not for me, if your scorn is my affliction, hardly shall I endure this anxiety, which, besides being oppressive, is protracted. My good squire Sancho will relate to you in full — O, dear enemy!— the condition to which I am reduced on your account: if it be your pleasure to give me relief, I am yours; if not, do as may be pleasing to you, for, by ending my life, I shall satisfy your cruelty and my desire.*

*Yours till death, The Knight of the Sad Countenance."*

"¡Por vida de mi padre! —exclamó Sancho—. ¡Que es la más alta cosa que jamás he oído! Y qué bien que encaja en la firma *El Caballero de la Triste Figura*! Digo de verdad que es vuestra merced el mismo diablo, y que no haya cosa que no sepa."

"Todo es menester para el oficio que tengo" —respondió Don Quijote.

"Ea, pues, —dijo Sancho— ponga vuestra merced a la vuelta la cédula de los tres pollinos, y fírmela con mucha claridad, porque la conozcan en viéndola."

"Con mucho gusto" —dijo Don Quijote.

Y habiéndola escrito, se la leyó, que decía así:

"*Señora sobrina: Por esta dará vuestra merced a Sancho Panza, mi escudero, tres de los cinco pollinos que dejé en casa a vuestro cargo.— Fechada en las entrañas de Sierra Morena, a veinte y dos de agosto de este presente año.*"

"Bien está —dijo Sancho—. Déjeme ir a ensillar a Rocinante, y prepárese vuestra merced para darme su bendición, que pienso marcharme enseguida sin ver las sandeces que vuestra merced va a hacer, que yo diré que le vi hacer tantas que no quiera más."

Pidió la bendición a su señor y, subiendo sobre Rocinante, se puso en camino de El Toboso. Y será bien dejar a Don Quijote escribiendo y grabando por las cortezas de los árboles muchos versos, todos acomodados a su tristeza, y algunos en alabanza de Dulcinea, para contar lo que le avino a Sancho Panza en su misión.

Sancho se puso en busca del camino a El Toboso, y al otro día llegó a la venta donde le había sucedido la desgracia de la manta. En esto, salieron de la venta dos personas que enseguida le conocieron; eran el cura y el barbero de su mismo pueblo.

"Amigo Sancho Panza, —dijo el cura— ¿dónde se ha quedado vuestro amo?"

"By the life of my father! —exclaimed Sancho—. It is the loftiest thing I ever heard! And how well you fit in *The Knight of the Sad Countenance* into the signature! I declare your worship is indeed the very devil, and there is nothing you don't know."

"Everything is needed for the profession I follow" —replied Don Quixote.

"Now then, —said Sancho— let your worship put the order for the three ass-colts on the other side, and sign it very plainly, that they may recognise it at first sight."

"With all my heart" —said Don Quixote.

And as he had written it, he read it to this effect:

"*Mistress Niece, By this please give Sancho Panza, my squire, three of the five ass-colts I left at home in charge of you.—Done in the heart of Sierra Morena, the twenty-second of August of this present year.*"

"That will do —said Sancho—. Let me go and saddle Rocinante, and be ready to give me your blessing, for I mean to go at once without seeing the fooleries your worship is going to do, I'll say I saw you do so many that she will not want any more."

He asked his master's blessing and, mounting Rocinante, he set out for El Toboso. And here it will be well to leave Don Quixote writing and carving on the bark of the trees a multitude of verses all in harmony with his sadness, and some in praise of Dulcinea, to relate how Sancho Panza fared on his mission.

Sancho set out to find the El Toboso road, and the next day reached the inn where the mishap of the blanket had befallen him. Then there came out of the inn two persons who at once recognised him; they were the curate and the barber of his own village.

"Friend Sancho Panza, —said the curate— where is your master?"

"Mi amo queda haciendo penitencia en la mitad de estas montañas, muy a su sabor."

Luego les contó qué aventuras les habían sucedido, y cómo llevaba una carta para la señora Dulcinea del Toboso, que era la hija de Lorenzo Corchuelo, de quien Don Quijote estaba enamorado hasta los hígados.

Le pidieron que les enseñase la carta, y Sancho les dijo que iba escrita en un libro de memoria y que era orden de su señor que la hiciese trasladar en papel en el primer pueblo que llegase. El cura dijo que se la mostrase, que él la trasladaría de muy buena letra. Metió la mano en la pechera Sancho Panza, buscando el librillo, pero no lo halló, ni lo podía haber encontrado si lo hubiera estado buscando hasta ahora, porque se había quedado Don Quijote con él, y él no se acordó de pedírselo. Cuando Sancho vio que no hallaba el libro, fuésele parando mortal el rostro, y se volvió a tentar todo el cuerpo muy aprisa, y viendo claramente que no se había de encontrar, sin más ni más, se echó entrambos puños a las barbas, y se arrancó la mitad de ellas, y luego, aprisa y sin cesar, se dio media docena de puñetazos en el rostro y en la nariz, que se los bañó en sangre. El cura y el barbero le preguntaron qué le había sucedido, que tan mal se paraba.

"¿Qué me ha de suceder, —respondió Sancho— sino el haber perdido de una mano a otra, en un instante, tres pollinos, que cada uno era como un castillo?"

"¿Cómo es eso?" —dijo el barbero.

"He perdido el libro de memoria —respondió Sancho— donde venía carta para Dulcinea y una cédula firmada por mi señor, por la cual mandaba a su sobrina que me diese tres pollinos de los cuatro o cinco que tiene en casa."

Entonces les contó la pérdida del rucio. El cura le consoló, diciéndole que cuando encontraran a su señor, él le haría revalidar la orden. Con esto se consoló Sancho y dijo que no le daba mucha pena la pérdida de la carta de Dulcinea porque se la sabía casi de memoria.

"My master is engaged very much to his taste doing penance in the midst of these mountains."

Then he told them what adventures had happened to them, and how he was carrying a letter to the lady Dulcinea del Toboso, the daughter of Lorenzo Corchuelo, with whom Don Quixote was over head and ears in love.

They asked him to show them the letter, and Sancho told them that it was written in a note-book and that his master's directions were that he should have it copied on paper at the first village he came to. The curate said if he showed it to him, he himself would make a fair copy of it. Sancho put his hand into his bosom in search of the note-book, but he could not find it, nor, if he had been searching until now could he have found it, for Don Quixote had kept it, nor had he himself thought of asking for it. When Sancho discovered he could not find the book, his face grew deadly pale, and in great haste he again felt his body all over, and seeing plainly it was not to be found, without more ado he seized his beard with both hands, and plucked away half of it, and then, as quick as he could and without stopping, he gave himself half a dozen punches on the face and nose till they were bathed in blood. The curate and the barber asked him what had happened to him that he gave himself such rough treatment.

"What should happen to me, —replied Sancho— but to have lost from one hand to the other, in a moment, three ass-colts, each of them like a castle?"

"How is that?" —said the barber.

"I have lost the note-book —replied Sancho— that contained the letter to Dulcinea and an order signed by my master, in which he directed his niece to give me three ass-colts out of the four or five he has at home."

Then he told them about the loss of his donkey. The curate consoled him, telling him that when his master was found, he would get him to renew the order. Sancho comforted himself with this and said the loss of Dulcinea's letter did not trouble him much for he had it almost by heart.

"Repetidla, Sancho, pues, —dijo el barbero— que después la trasladaremos."

Se detuvo Sancho Panza a rascarse la cabeza para traer a la memoria la carta, y ya se ponía sobre un pie, y ya sobre otro; unas veces miraba al suelo, otras al cielo, y tras haberse roído la mitad de la yema de un dedo, dijo al cabo de un grandísimo rato: '*El principio decía: Alta y sobajada señora.*'

"No diría *sobajada*, —dijo el barbero— sino *sobrehumana* o *soberana*."

"Así es —dijo Sancho—. Luego, si mal no recuerdo, proseguía...: *El falto de sueño y el herido besa a vuestra merced las manos, ingrata y muy desconocida hermosa*, y no sé qué decía de salud y de enfermedad que le enviaba, y por aquí iba escurriendo hasta que acababa en: *Vuestro hasta la muerte, el Caballero de la Triste Figura.*"

No poco gustaron los dos de ver la buena memoria de Sancho Panza, y le pidieron que dijese la carta otras dos veces, para que ellos asimismo la aprendiesen de memoria para trasladarla a su tiempo. Sancho la repitió otras tres veces, y otras tantas volvió a decir otros tres mil disparates.

Capítulo XI

# QUE TRATA DEL GRACIOSO ARTIFICIO Y ORDEN QUE TUVO EN SACAR A NUESTRO ENAMORADO CABALLERO DE LA ASPERÍSIMA PENITENCIA EN QUE SE HABÍA PUESTO

"Mas lo que ahora se ha de hacer, —dijo el cura— es dar orden de cómo sacar a vuestro amo de aquella inútil penitencia que decís que se ha quedado haciendo; y para pensar el plan que hemos de tener, y para comer, que ya es hora, será bien nos entremos en la venta."

"Repeat it then, Sancho, —said the barber— and we will write it down afterwards."

Sancho Panza stopped to scratch his head to bring back the letter to his memory, and balanced himself now on one foot, now the other; one moment staring at the ground, the next at the sky, and after having half gnawed off the end of a finger, he said, after a long pause: *'It said at the beginning: Exalted and scrubbing Lady.'*

"It cannot have said *scrubbing*, —said the barber— but *superhuman* or *sovereign*."

"That is it —said Sancho—. Then, as well as I remember, it went on…: *The wanting of sleep and the pierced kisses your worship's hands, ungrateful and very unrecognised fair one,* and it said something or other about health and sickness that he was sending her, and from that it went tailing off until it ended with: *Yours till death, the Knight of the Sad Countenance.*"

It gave them no little amusement, both of them, to see what a good memory Sancho Panza had, and they begged him to repeat the letter a couple of times more so that they too might get it by heart to write it out by-and-by. Sancho repeated it three times, and as he did, he uttered three thousand more absurdities.

CHAPTER XI

# WHICH TREATS OF THE DROLL DEVICE AND METHOD ADOPTED TO EXTRICATE OUR LOVE-STRICKEN KNIGHT FROM THE SEVERE PENANCE HE HAD IMPOSED UPON HIMSELF

"But now what we must do, —said the curate— is to take steps to coax your master out of that useless penance you say he is performing; and we had best turn into the inn to consider what plan to adopt, and also to dine, for it is now time."

Después de que hubieron pensado bien entre los dos —el cura y el barbero— el modo que tendrían para conseguir lo que deseaban, el cura tuvo una idea: él se vestiría de doncella andante, mientras que el barbero procuraría pasar por escudero; irían adonde Don Quijote estaba, y el cura, fingiendo ser una doncella menesterosa, le pediría un don. Y el don era que la acompañase adonde ella le llevase a deshacerle un agravio que un mal caballero le tenía hecho. De esta manera le llevarían a su pueblo, donde procurarían ver si tenía algún remedio su extraña locura.

No le pareció mal al barbero el plan del cura, sino tan bien, que enseguida lo pusieron por obra. Le pidieron a la ventera una saya y unas tocas. El barbero hizo una barba de una cola de buey, de la que el ventero solía tener colgado el peine.

La ventera vistió al cura de modo que no había más que ver: le puso una saya de paño, llena de fajas de terciopelo negro de un palmo en ancho, y unos corpiños de terciopelo verde guarnecidos con unos ribetes de raso blanco. El cura se puso en la cabeza el birretillo de lienzo acolchado que llevaba para dormir de noche, y se ciñó la frente con una liga de tafetán negro, y con otra liga hizo un antifaz con que se cubrió muy bien las barbas y el rostro. Entonces le vino al cura un pensamiento: que hacía mal en haberse puesto de aquella manera, por ser cosa indecente que un sacerdote se pusiese así, aunque le fuese mucho en ello.

Entonces el cura contó a Cardenio y a Dorotea, que estaban también allí, lo que tenían pensado para remedio de Don Quijote, a lo menos para llevarle a su casa. Dorotea dijo que ella haría de doncella menesterosa, y más, que tenía allí vestidos con que hacerlo al natural, y que la dejasen el cargo de saber representar todo aquello que fuese menester para llevar adelante su intento, porque ella había leído muchos libros de caballerías. Sacó luego Dorotea de su almohada una saya entera de cierta telilla rica y una mantellina de otra vistosa tela verde, y de una cajita, un collar y otras joyas, con que en un instante se adornó de manera que una rica y gran señora parecía.

After they had between them carefully thought over what they — the curate and the barber— should do to carry out their object, the curate hit upon an idea: he himself should assume the disguise of a wandering damsel, while the barber should try as best he could to pass for a squire; they would proceed to where Don Quixote was, and the curate, pretending to be a distressed damsel, would ask a favour of him. And the favour was that he should accompany her where she would conduct him, in order to redress a wrong which a wicked knight had done her. And in this way they might take him to his village, where they would endeavour to find out if his strange madness admitted of any kind of remedy.

The curate's plan did not seem a bad one to the barber, but on the contrary so good that they immediately set about putting it in execution. They begged a petticoat and hood of the landlady. The barber made a beard out of an ox tail, in which the landlord used to stick his comb.

The landlady dressed up the curate in a style that left nothing to be desired: she put on him a cloth petticoat with black velvet stripes a palm broad, and a bodice of green velvet set off by a binding of white satin. The curate put on his head the little quilted linen cap he used for a night-cap, and bound his forehead with a strip of black silk, while with another he made a mask with which he concealed his beard and face very well. Now the curate thought he was doing wrong in rigging himself out in that fashion, as it was an indecorous thing for a priest to dress himself that way, even though much might depend upon it.

Then the curate told Cardenio and Dorotea, who were also there, what they had proposed to do to cure Don Quixote, or at any rate take him home. Dorotea said that she could play the distressed damsel, especially as she had there the dress in which to do it to the life, and that they might trust to her acting the part in every particular requisite for carrying out their scheme, for she had read a great many books of chivalry. Dorotea then took out of her pillow-case a complete petticoat of some rich stuff, and a green mantle of some other fine material, and a necklace and other ornaments out of a little box, and with these, in an instant she so arrayed herself that she looked like a great and rich lady.

No quisieron vestirse por entonces hasta que estuviesen junto a Don Quijote, y se despidieron de todos. Al otro día llegaron al lugar donde Sancho había dejado puestas las señales de las ramas para acertar el lugar donde había dejado a su señor. Les dijo que aquella era la entrada y que bien se podían vestir.

Cuando Sancho Panza vio a Dorotea vestida, le pareció que en todos los días de su vida había visto tan hermosa criatura, y así, preguntó al cura quién era aquella tan hermosa señora, y qué era lo que buscaba por aquellos andurriales.

"Esta hermosa señora, hermano Sancho, —respondió el cura— es la heredera por línea directa de varón del gran reino de Micomicón. Viene en busca de vuestro amo a pedirle un don, el cual es que le deshaga un agravio que un mal gigante le tiene hecho."

"Entonces una cosa quiero suplicar a vuestra merced, señor licenciado, —dijo a esta sazón Sancho— y es que vuestra merced le aconseje a mi amo casarse con esta princesa, y así vendrá con facilidad a su imperio y yo, al fin de mis deseos. Todo el toque está en que mi amo se case con esta señora, que hasta ahora no sé su gracia, y así, no puedo llamarla por su nombre."

"Se llama la princesa Micomicona, —dijo el cura— porque, llamándose su reino Micomicón, claro está que ella se ha de llamar así."

"No hay duda en eso —respondió Sancho—; que yo he visto a muchos tomar el apellido y alcurnia del lugar donde nacieron."

Ya en esto, se había puesto Dorotea sobre la mula del cura, y el barbero se había acomodado al rostro la barba de la cola de buey, y dijeron a Sancho que los guiase adonde Don Quijote estaba. Tres cuartos de legua habrían andado cuando descubrieron a Don Quijote entre unas intrincadas peñas. Dorotea se acercó a él, y apeándose con gran desenvoltura, se fue a hincar de rodillas ante Don Quijote; y aunque él pugnaba por levantarla, ella, sin levantarse, le habló en esta manera:

They did not want to dress themselves up until they were near where Don Quixote was, and they took leave of all. The next day they reached the place where Sancho had laid the broom-branches as marks to direct him to where he had left his master. He told them that here was the entrance and that they would do well to dress themselves.

When Sancho Panza saw Dorotea how she was dressed up, it seemed to him that in all the days of his life he had never seen such a lovely creature, and so he asked the curate who that beautiful lady was, and what she wanted in these out-of-the-way quarters.

"This fair lady, brother Sancho, —replied the curate— is the heiress in the direct male line of the great kingdom of Micomicón. She has come in search of your master to beg a boon of him, which is that he redress a wrong that a wicked giant has done to her."

"Then one thing I would beg of you, sir licentiate, —said Sancho Panza at this— which is that your worship would recommend my master to marry this princess, for in this way he will easily come into his empire, and I, to the end of my desires. It all turns on my master marrying this lady, for as yet I do not know her grace, and so I cannot call her by her name."

"She is called the princess Micomicona, —said the curate— for as her kingdom is Micomicón, it is clear that it must be her name."

"There's no doubt of that —replied Sancho—; for I have known many to take their name and title from the place where they were born."

By this time, Dorotea had seated herself upon the curate's mule, and the barber had fitted the ox-tail beard to his face, and they now told Sancho to conduct them to where Don Quixote was. They had gone about three-quarters of a league when they discovered Don Quixote in a wilderness of rocks. Dorotea came up to him, and dismounting with great ease of manner, she advanced to kneel before the feet of Don Quixote; and though he strove to raise her up, she, without rising, addressed him in this fashion:

"De aquí no me levantaré ¡oh valeroso caballero! hasta que la vuestra bondad y cortesía me otorgue un don."

Y estando en esto, se acercó Sancho Panza al oído de su señor y muy bajito le dijo:

"Bien puede vuestra merced concederle el don que pide; que es cosa de nada: sólo es matar a un gigantazo, y esta que lo pide es la alta princesa Micomicona, reina del gran reino Micomicón de Etiopía."

"Sea quien fuere —respondió Don Quijote—; que yo haré lo que estoy obligado, y lo que me dicta mi conciencia." Y volviéndose a la doncella, dijo:

"La vuestra gran hermosura se levante, que yo le otorgo el don que pedirme quisiere."

"Pues el que pido es —dijo la doncella— que la vuestra magnánima persona se venga conmigo adonde yo le llevare, y me prometa que no se ha de entrometer en otra aventura alguna hasta darme venganza de un traidor que me ha usurpado el reino."

"Digo que así lo otorgo" —respondió Don Quijote.

La menesterosa doncella pugnó con mucha porfía por besarle las manos; mas Don Quijote, que en todo era comedido y cortés caballero, no lo consintió, antes la hizo levantar y la abrazó con mucha cortesía y comedimiento. Luego mandó a Sancho que le armase al punto.

Sancho descolgó la armadura, que, como trofeo, de un árbol estaba pendiente, y en un momento armó a su señor. Viéndose Don Quijote con la armadura puesta, exclamó:

"¡Vamos de aquí, en el nombre de Dios, a favorecer a esta gran señora!"

Puestos los tres a caballo, a saber, Don Quijote, la princesa y el cura, y los tres a pie, Cardenio, el barbero y Sancho Panza, acordaron que de momento el cura fuese a caballo, y a trechos se fuesen los tres mudando hasta que llegasen a la venta, que estaría a unas dos leguas de allí.

"From this spot I will not rise, O valiant knight! until your goodness and courtesy grant me a boon."

And here Sancho Panza drew close to his master's ear and said to him very softly:

"Your worship may very safely grant the boon she asks; it's nothing at all: only to kill a big giant, and she who asks it is the exalted Princess Micomicona, queen of the great kingdom of Micomicón of Ethiopia."

"Let her be who she may —replied Don Quixote—; I will do what is my duty, and what my conscience bids me." And turning to the damsel, he said:

"Let your great beauty rise, for I grant the boon which you would ask of me."

"Then what I ask is —said the damsel— that your magnanimous person accompany me whither I will conduct you, and that you promise not to engage in any other adventure until you have avenged me of a traitor who has usurped my kingdom."

"I say that I grant it" —replied Don Quixote.

The distressed damsel strove with much pertinacity to kiss his hands; but Don Quixote, who was in all things a polished and courteous knight, would by no means allow it, but made her rise and embraced her with great courtesy and politeness. Then he ordered Sancho to arm him without a moment's delay.

Sancho took down the armour, which was hung up on a tree like a trophy, and he armed his master in a trice. As soon as Don Quixote found himself in his armour, he exclaimed:

"Let us be gone, in the name of God, to bring aid to this great lady!"

Three of them being mounted, that is to say, Don Quixote, the princess, and the curate, and three on foot, Cardenio, the barber and Sancho Panza, they agreed that for the present the curate should mount, and that the three should ride by turns until they reached the inn, which might be about two leagues from where they were.

## Capítulo XII

# QUE TRATA DE LA DISCRECIÓN
# DE LA HERMOSA DOROTEA, CON OTRAS
# COSAS DE MUCHO GUSTO Y PASATIEMPO

"Os suplico que me digáis, señora mía, —dijo Don Quijote— cuál es la naturaleza de vuestro problema, y cuántas, quiénes y cuáles son las personas de quien os tengo de dar debida cuenta."

"Eso haré con mucho gusto —respondió Dorotea—. Estén vuestras mercedes atentos."

Cardenio y el barbero se le pusieron al lado, deseosos de oír cómo fingía su historia la perspicaz Dorotea. Sancho hizo lo mismo, que tan engañado iba con ella como su amo. Y ella, después de haberse acomodado bien en la silla, con mucho donaire, comenzó a decir de esta manera:

"Primeramente, quiero que vuestras mercedes sepan, señores míos, que me llamo..."

Y detúvose aquí un poco porque se le había olvidado el nombre que el cura le había puesto; pero él acudió al remedio, y dijo:

"No es maravilla, señora mía, que la vuestra grandeza se turbe contando sus desventuras; que ellas suelen ser tales, que muchas veces quitan la memoria a los que maltratan, de tal manera, que no recuerdan sus propios nombres, como es el caso de vuestra señoría, que se ha olvidado que se llama la princesa Micomicona, legítima heredera del gran reino de Micomicón."

"Esa es la verdad —dijo la doncella—; y de ahora en adelante creo que no será menester apuntarme nada; que yo saldré a buen puerto con mi verdadera historia. La cual es:

'El rey, mi padre, que se llamaba Tinacrio el Sabio, fue muy docto en esto que llaman el Arte Mágica, y alcanzó por su ciencia que él y mi madre, que se llamaba la reina Jaramilla, ...

# WHICH TREATS OF ADDRESS DISPLAYED BY THE FAIR DOROTEA, WITH OTHER MATTERS PLEASANT AND AMUSING

"I entreat you to tell me, my lady, —said Don Quixote— what is the nature of your trouble, and how many, who, and what are the persons of whom I am to require due satisfaction on your behalf."

"That I will do with all my heart —replied Dorotea—. Please give me your attention."

Cardenio and the barber drew close to her side, eager to hear what sort of story the quick-witted Dorotea would invent for herself. Sancho did the same, for he was as much taken in by her as his master. And she, having settled herself comfortably in the saddle, began with great sprightliness of manner in this fashion:

"First of all, I would have you know, sirs, that my name is …"

And here she stopped for a moment, for she had forgotten the name the curate had given her; but he came to her relief, and said:

"It is no wonder, my lady, that your highness should be embarrassed in telling the tale of your misfortunes; for such afflictions often have the effect of depriving the sufferers of memory, so that they do not even remember their own names, as it is the case now with your ladyship, who has forgotten that she is called the princess Micomicona, lawful heiress of the great kingdom of Micomicón."

"That is the truth —said the damsel—; and I think from this on I will have no need of any prompting, and I shall bring my true story safe into port, and here it is:

'The king, my father, who was called Tinacrio the Sage, was very learned in what they call Magic Arts, and became aware by his craft that he and my mother, who was called Queen Jaramilla, …

habían de morir y yo había de quedar huérfana de padre y madre. Además él declaró que un descomunal gigante, señor de una gran ínsula que linda con nuestro reino, llamado Pandafilando, en sabiendo mi orfandad, había de pasar con gran poderío sobre mi reino y me lo había de quitar todo; pero que podía excusar toda esta ruina y desgracia si yo me quisiese casar con él. Dijo también mi padre que cuando viese yo a Pandafilando a punto de invadir mi reino, que debería dejarlo todo a su merced si quería excusar la muerte y total destrucción de mis buenos y leales vasallos. También me dijo que, con algunos de los míos, me pusiese al punto en camino a España, donde encontraría el remedio de mis males hallando a cierto caballero andante llamado, si mal no recuerdo, Don Azote o Don Jigote."

"*Don Quijote* diría, señora, —dijo a esta sazón Sancho— o, por otro nombre, el Caballero de la Triste Figura."

"Así es —dijo Dorotea—. Dijo más: que había de ser alto de cuerpo y seco de rostro, y que en el lado derecho, debajo del hombro izquierdo, había de tener un lunar pardo con ciertos cabellos a manera de cerdas."

Al oír esto, Don Quijote dijo a su escudero:

"Ten aquí, Sancho, hijo, ayúdame a desnudar, que quiero ver si soy el caballero que aquel sabio rey dejó profetizado."

"Pues ¿para qué quiere vuestra merced desnudarse?" —dijo Dorotea.

"Para ver si tengo ese lunar que vuestro padre dijo" —respondió Don Quijote.

"No hay para qué desnudarse —dijo Sancho—; que yo sé que tiene vuestra merced un lunar de esas señas en la mitad del espinazo."

"Eso basta —dijo Dorotea—. Sin duda acertó mi buen padre en todo, y yo he acertado en encomendarme al señor Don Quijote; él es de quien habló mi padre, pues apenas hube desembarcado en Osuna, cuando oí decir tantas hazañas suyas, que luego me dio el alma que era el mismo que había venido a buscar."

were to die and I was to be left an orphan. Besides he declared that a prodigious giant, the lord of a great island close to our kingdom, called Pandafilando, on becoming aware of my orphan condition, would overrun my kingdom with a mighty force and strip me of all; but that I could avoid all this ruin and misfortune if I were willing to marry him. My father said, too, that when I saw Pandafilando about to invade my kingdom, I should leave it entirely open to him if I wished to avoid the death and total destruction of my good and loyal vassals. He also told me that I should at once, with some of my followers, set out for Spain, where I should obtain relief in my distress on finding a certain knight-errant called, if I remember rightly, Don Azote or Don Jigote."

"*Don Quixote* he must have said, my lady, —observed Sancho at this— otherwise called the Knight of the Sad Countenance."

"That is it —said Dorotea—. He said, moreover, that he would be tall of stature and lank featured, and that on his right side, under the left shoulder, he would have a grey mole with hairs like bristles."

On hearing this, Don Quixote said to his squire:

"Here, Sancho, my son, bear a hand and help me to strip, for I want to see if I am the knight that sage king foretold."

"What does your worship want to strip for?" —said Dorotea.

"To see if I have that mole your father spoke of" —answered Don Quixote.

"There is no occasion to strip —said Sancho—; for I know your worship has just such a mole on the middle of your backbone."

"That is enough —said Dorotea—. No doubt my good father hit the truth in every particular, and I have made a lucky hit in commending myself to Sir Don Quixote; he is the one my father spoke of, for I had scarcely landed at Osuna, when I heard such accounts of his achievements, that at once my heart told me he was the very one I had come in search of."

"Pues ¿cómo es que desembarcó vuestra merced en Osuna, señora mía, —preguntó Don Quijote— si no es puerto de mar?"

Mas antes de que Dorotea respondiese, tomó el cura la mano, diciendo:

"La señora princesa quiso decir que después de que desembarcó en Málaga, el primer lugar donde oyó nuevas de vuestra merced fue en Osuna."

"Eso quise decir" —dijo Dorotea.

"Prosiga vuestra Majestad, por favor" —dijo el cura.

"No hay que proseguir, —dijo Dorotea— sino que, finalmente, mi buen padre, Tinacrio el Sabio, también dejó dicho y escrito en letras griegas (que yo no las sé leer) que si este caballero de la profecía, después de haber degollado al gigante, quisiese casarse conmigo, que yo me otorgase al punto, sin réplica alguna, por su legítima esposa, y le diese la posesión de mi reino junto con la de mi persona."

"¿Qué te parece, Sancho amigo? —dijo en este punto Don Quijote—. ¿Lo oyes? ¿No te lo dije yo? ¡Mira si tenemos ya reino que mandar y reina con quien casar!"

"¡Eso juro yo! —exclamó Sancho—. ¡Y mala fortuna para el puto que no se casare en abriendo el gaznatico al señor Pandahilado!"

Y diciendo esto, dio dos zapatetas en el aire con muestras de grandísimo contento.

"De nuevo confirmo el don que os he prometido, —dijo Don Quijote— y juro ir con vos al fin del mundo hasta verme con vuestro fiero enemigo. Y después de haberle cortado la cabeza y puesto a vos en pacífica posesión de vuestro estado, quedará a vuestra voluntad hacer de vuestra persona lo que más en talante os viniere; porque mientras que yo tuviere cautiva la voluntad y perdido el entendimiento por aquella... —no digo más—... es imposible para mí casarme con vos."

"But how did you come to land at Osuna, my dear lady, —asked Don Quixote— since it is not a seaport?"

But before Dorotea could reply, the curate anticipated her, saying:

"The lady princess meant to say that after she had landed at Málaga, the first place where she heard of your worship was Osuna."

"That is what I meant to say" —said Dorotea.

"Will your Majesty please proceed?" —said the curate.

"There is no more to add, —said Dorotea— except that finally, my good father, Tinacrio the Sage, left it declared in writing in Greek characters (for I cannot read them) that if this predicted knight, after having cut the giant's throat, should be disposed to marry me, I was to offer myself at once, without demur, as his lawful wife, and yield him possession of my kingdom together with my person."

"What do you think now, friend Sancho? —said Don Quixote at this—. Do you hear that? Didn't I tell you so? See how we have already got a kingdom to govern and a queen to marry!"

"On my oath it is so! —exclaimed Sancho—. And foul fortune to him who won't marry after slitting Sir Pandahilado's windpipe!"

And so saying, he cut a couple of capers in the air with every sign of extreme satisfaction.

"Here I confirm again the boon I have promised you, —said Don Quixote— and I swear to go with you to the end of the world until I find myself in the presence of your fierce enemy. And when it has been cut off his head and you have been put in peaceful possession of your realm, it shall be left to your own decision to dispose of your person as may be most pleasing to you; for so long as my will is enslaved and my understanding, enthralled by her... —I say no more—... it is impossible for me to marry you."

"¡Voto a mí! ¡Señor Don Quijote! —exclamó Sancho, alzando la voz con gran enojo—. ¡Juro que no tiene vuestra merced cabal juicio! ¿Cómo es posible que ponga vuestra merced en duda el casarse con tan alta princesa como ésta? ¿Es, por dicha, más hermosa mi señora Dulcinea? No, por cierto; ni aun con la mitad. ¡Así, noramala alcanzaré yo el condado que espero! ¡Cásese, cásese, encomiéndolo yo a Satanás, y tome ese reino que se le viene a las manos de vobis vobis, y en siendo rey, hágame marqués o gobernador de alguna provincia, y luego, siquiera se lo lleve el diablo todo!"

Don Quijote, que tales blasfemias oyó decir contra su señora Dulcinea, no lo pudo sufrir, y alzando el lanzón, sin hablarle palabra a Sancho y sin decir esta boca es mía, le dio tales dos palos que le tiró al suelo. Si no fuera porque Dorotea le gritó que no le pegara más, sin duda Don Quijote le quitara allí la vida. Sancho corrió a ponerse detrás de la mula de Dorotea.

"Ya basta —dijo Dorotea—. Corred, Sancho, y besad la mano a vuestro señor y pedidle perdón, y no digáis mal de esa señora Tobosa, a quien yo no conozco si no es para servirla, y tened confianza en Dios, que no os ha de faltar un estado donde viváis como un príncipe."

Mientras esto pasaba, vieron a un hombre montado sobre un burro. Sancho lo vio y enseguida reconoció a su asno.

"¡Ah, ladrón! —gritó— ¡Suelta a mi asno! ¡Huye, bastardo! ¡Auséntate, ladrón! ¡Suelta lo que no es tuyo!"

El ladrón se bajó de un salto y se marchó corriendo. Sancho corrió hacia su asno, y abrazándole, le dijo:

"¿Cómo has estado, bien mío, compañero mío?"

Con esto le besaba y acariciaba como si fuera una persona. El burro callaba y se dejaba besar y acariciar, sin responder palabra. Llegaron todos y le dieron el parabién del hallazgo del burro, especialmente Don Quijote, que le dijo que no por eso anulaba la póliza de los tres pollinos, lo que Sancho le agradeció.

"By my oath! Sir Don Quixote! —exclaimed Sancho, raising his voice with great irritation—. I swear you are not in your right senses! How can your worship possibly object to marrying such an exalted princess as this? Is my lady Dulcinea fairer, perhaps? Not at all; nor half as fair. A poor chance I have of getting that county I am waiting for! In the devil's name, marry, marry, and take that kingdom that comes to hand without any trouble, and when you are king, make me a marquis or governor of a province, and for the rest, let the devil take it all!"

Don Quixote, when he heard such blasphemies uttered against his lady Dulcinea, could not endure it, and lifting his pike, without saying anything to Sancho or uttering a word, he gave him two such thwacks that he brought him to the ground. If Dorotea had not cried out to him to spare him, Don Quixote would have no doubt taken his life on the spot. Sancho ran to place himself behind Dorotea's mule.

"That is enough —said Dorotea—. Run, Sancho, and kiss your master's hand and beg his pardon, and say nothing against that lady Tobosa, of whom I know nothing save that I am her servant, and put your trust in God, for you will not fail to obtain some dignity so as to live like a prince."

While this was going on, they saw a man mounted on a donkey. Sancho saw him and recognised his ass at once.

"You thief! —shouted he—. Quit my ass! Get away, you bastard! Get out, you thief! Give up what is not yours!"

The thief jumped down and made off. Sancho hastened to his ass, and embracing him, he said:

"How have you been, my blessing, my comrade?"

All the while he was kissing him and caressing him as if he were a human being. The donkey stayed quiet and let himself be kissed and caressed, without answering a single word. They all came up and congratulated him on having found the donkey, Don Quixote especially, who told him that notwithstanding this, he would not cancel the order for the three ass-colts, for which Sancho thanked him.

# DE LOS SABROSOS RAZONAMIENTOS QUE PASARON ENTRE DON QUIJOTE Y SANCHO PANZA, SU ESCUDERO, CON OTROS SUCESOS

Mientras Dorotea, Cardenio y el cura iban conversando, prosiguió Don Quijote la suya con Sancho, diciendo:

"Dime, Panza amigo, ¿dónde, cómo y cuándo hallaste a Dulcinea? ¿Qué hacía? ¿Qué le dijiste? ¿Qué te respondió? ¿Qué cara ponía cuando leía la carta? ¿Quién te la trasladó? Y todo aquello que vieres que en este caso es digno de saberse, preguntarse y satisfacerse, sin que añadas o mientas por darme gusto."

"Señor, —respondió Sancho— a decir verdad, la carta no me la escribió nadie, porque yo no llevé carta alguna."

"Así es como tú dices, —dijo Don Quijote— porque el librillo de memoria lo encontré yo en mi poder a cabo de dos días de tu partida. Creí que volverías a buscarlo."

"Así lo habría hecho, —dijo Sancho— si no la hubiera yo aprendido de memoria cuando vuestra merced me la leyó, de manera que se la dije a un sacristán, que me la trasladó del entendimiento, tan punto por punto que dijo que en todos los días de su vida, aunque había leído muchas cartas de excomunión, no había visto ni leído carta tan linda."

"Y ¿la tenéis todavía en la memoria, Sancho?" —preguntó Don Quijote.

"No, señor, —respondió Sancho— porque después que la dije, como vi que no había de ser de más provecho, di en olvidarla; y si algo recuerdo, es aquello del *sobajada*, digo, del *Soberana Señora*, y lo último: *Vuestro hasta la muerte, el Caballero de la Triste Figura*. En medio de estas dos cosas le puse más de trescientas *almas mías* y *de mi vida* y *ojos míos*."

# OF THE DELECTABLE DISCUSSION BETWEEN DON QUIXOTE AND SANCHO PANZA, HIS SQUIRE, TOGETHER WITH OTHER INCIDENTS

While Dorotea, Cardenio and the curate were holding a conversation, Don Quixote continued his with Sancho, saying:

"Tell me, friend Panza, where, how and when did you find Dulcinea? What was she doing? What did you say to her? What did she answer? How did she look when she was reading my letter? Who copied it out for you? And everything in the matter that seems to you worth knowing, asking and learning, neither adding nor falsifying to give me pleasure."

"Sir, —replied Sancho— if the truth is to be told, nobody copied out the letter for me, for I carried no letter at all."

"It is as you say, —said Don Quixote— because I found the notebook in my own possession two days after your departure. I made sure you would return to look for it."

"So I should have done, —said Sancho— if I had not got it by heart when your worship read it to me, so that I repeated it to a parish clerk, who copied it out for me from hearing it, so exactly that he said in all the days of his life, though he had read many a letter of excommunication, he had never seen or read so pretty a letter as that."

"And have you got it still in your memory, Sancho?" —asked Don Quixote.

"No, sir, —replied Sancho— for as soon as I had repeated it, seeing there was no further use for it, I set about forgetting it; and if I recollect any of it, it is that about *scrubbing*, I mean to say, *Sovereign Lady*, and the end: *Yours till death, the Knight of the Sad Countenance*. Between these two I put into it more than three hundred *my souls* and *my life's* and *my eyes*."

"Todo eso no me descontenta, —dijo Don Quijote—. Prosigue. Llegaste; ¿y qué hacía aquella reina de la hermosura? A buen seguro que la hallaste ensartando perlas, o bordando alguna empresa con oro de cañutillo para este su cautivo caballero."

"No, —respondió Sancho—. La hallé aventando dos fanegas de trigo en el corral de su casa."

"Pues haz cuenta —dijo Don Quijote— que los granos de aquel trigo eran granos de perlas, tocados de sus manos. Y si miraste, amigo, el trigo ¿era candeal, o trechel?"

"No era sino rubión" —dijo Sancho.

"Pues yo te aseguro —dijo Don Quijote— que, aventado por sus manos, hizo pan candeal, sin duda alguna. Pero pasa adelante. Cuando le diste mi carta, ¿la besó? ¿Hizo alguna ceremonia digna de tal carta, o qué hizo?"

"Cuando yo se la iba a dar, —respondió Sancho— ella estaba en la fuga del meneo de una buena parte de trigo que tenía en la criba, y me dijo: *Poned, amigo, la carta sobre aquel costal, que no la puedo leer hasta que acabe de cribar todo lo que aquí está.*"

"¡Discreta señora! —dijo Don Quijote—. Eso debió de ser por leerla despacio y recrearse en ella. Adelante, Sancho. ¿Qué te preguntó de mí? ¿Qué le respondiste? Acaba; cuéntamelo todo."

"Ella no me preguntó nada, —dijo Sancho— pero yo le dije de la manera que vuestra merced, por su servicio, quedaba haciendo penitencia, desnudo de la cintura arriba, metido entre estas sierras como si fuera salvaje, durmiendo en el suelo, sin peinarse la barba, llorando y maldiciendo su fortuna."

"En decir que maldecía mi fortuna, dijiste mal, —dijo Don Quijote— porque antes la bendigo y bendeciré todos los días de mi vida por haberme hecho digno de merecer amar a tan alta señora como Dulcinea del Toboso."

"All that is not unsatisfactory to me, —said Don Quixote—. Go on. You got there; and what was that queen of beauty doing? Surely you did find her stringing pearls, or embroidering some device in gold thread for this, her enslaved knight."

"No, I didn't —replied Sancho—. I found her winnowing two bushels of wheat in the yard of her house."

"Then depend upon it —said Don Quixote— the grains of that wheat were pearls when touched by her hands. And did you see, my friend, whether it was white wheat or brown?"

"It was neither, but red" —said Sancho.

"Then I promise you —said Don Quixote— that, winnowed by her hands, beyond a doubt the bread it made was of the whitest. But go on. When you gave her my letter, did she kiss it? Did she perform any ceremony worthy of such a letter, or what did she do?"

"When I went to give it to her, —replied Sancho— she was hard at it swaying from side to side with a lot of wheat she had in the sieve, and she said to me: *Put the letter, friend, on the top of that sack, for I cannot read it until I have done sifting all this.*"

"Wise lady! —said Don Quixote—. That was in order to read it at her leisure and enjoy it. Proceed, Sancho. What did she ask about me? What did you reply? Make haste; tell me all."

"She asked me nothing, —said Sancho— but I told her how your worship was left doing penance in her service, naked from the waist up, in among these mountains like a savage, sleeping on the ground, not combing your beard, weeping and cursing your fortune."

"In saying I cursed my fortune, you said wrong, —said Don Quixote— for rather do I bless it and will bless it all the days of my life for having made me worthy of aspiring to love so lofty a lady as Dulcinea del Toboso."

"Tan alta es, —dijo Sancho— que a buena fe que me lleva a mí más de un palmo."

"¡Cómo! ¡Sancho! —exclamó Don Quijote—. ¿Te has medido tú con ella?"

"Me medí en esta manera: —respondió Sancho— al ir a ayudarla a poner un costal de trigo sobre un jumento, nos pusimos tan juntos que eché de ver que me llevaba más de un gran palmo."

"Pero no me negarás una cosa, Sancho —replicó Don Quijote—. Cuando llegaste junto a ella, ¿no sentiste una fragancia aromática, —un no sé qué de bueno, que yo no acierto a darle nombre?"

"Lo que sé decir es —dijo Sancho— que sentí un olorcillo algo hombruno; y debía de ser que ella, con el mucho ejercicio, estaba sudada y algo correosa."

"No sería eso —respondió Don Quijote—. Tú te debiste de oler a ti mismo; porque yo sé bien a lo que huele aquella rosa entre espinas, aquel lirio del campo."

"Todo puede ser —dijo Sancho—. Muchas veces sale de mí aquel olor que entonces me pareció que salía de su merced, la señora Dulcinea."

"Y bien, —prosiguió Don Quijote— he aquí que acabó de limpiar el trigo y de enviarlo al molino, ¿qué hizo cuando leyó la carta?"

"La carta, —dijo Sancho— no la leyó, porque dijo que no sabía leer ni escribir; antes la rasgó y la hizo pedacitos, diciendo que le bastaba lo que yo le había dicho de palabra acerca del amor que vuestra merced le tenía. Y, finalmente, me dijo que dijese a vuestra merced que le besaba las manos, y que allí quedaba con más deseo de verle que de escribirle; y que así, le suplicaba y mandaba que saliese de aquellos matorrales, y dejase de hacer disparates, y se pusiese luego en camino de El Toboso, porque tenía gran deseo de ver a vuestra merced."

"And so lofty she is, —said Sancho— that she overtops me by more than a hand's breadth."

"What! Sancho! —exclaimed Don Quixote—. Did you measure yourself with her?"

"I measured in this way: —answered Sancho— going to help her to put a sack of wheat on the back of an ass, we came so close together that I could see she stood more than a good palm over me."

"But one thing you will not deny, Sancho —replied Don Quixote—. When you came close to her did you not perceive an aromatic fragrance, something —I don't know what— delicious, that I cannot find a name for?"

"All I can say is —said Sancho— that I did perceive a little odour, something mannish; it must have been that she was all in a sweat with hard work."

"It could not be that —replied Don Quixote—. You must have smelt yourself; for I know well what would be the scent of that rose among thorns, that lily of the field."

"Maybe so —said Sancho—. There often comes from myself that same odour which then seemed to me to come from her grace, the lady Dulcinea."

"Well then, —continued Don Quixote— now she has done sifting the corn and sent it to the mill, what did she do when she read the letter?"

"As for the letter, —said Sancho— she did not read it, for she said she could neither read nor write; instead of that she tore it up into small pieces, saying that it was quite enough what I had told her by word of mouth about your worship's love for her. And, to make an end of it, she told me to tell your worship that she kissed your hands, and that she had a greater desire to see you than to write to you; and that therefore, she entreated and commanded you to come out of these thickets, and to have done with carrying on absurdities, and to set out at once for El Toboso, for she had a great desire to see your worship."

"Todo va bien hasta ahora —dijo Don Quijote—. Pero dime: ¿qué joya fue la que te dio al despedirte por las nuevas que de mí le llevaste? Porque es una antigua costumbre dar a los escuderos que traen nuevas alguna rica joya en agradecimiento de su recado."

"Bien puede eso ser así, —dijo Sancho— pero eso debió de ser en los tiempos pasados, que ahora sólo se debe de acostumbrar a dar un pedazo de pan y queso, que esto fue lo que me dio mi señora Dulcinea por las bardas de un corral cuando de ella me despedí; y aun, por más señas, el queso era ovejuno."

"Es liberal en extremo, —dijo Don Quijote— y si no te dio una joya de oro, sin duda debió de ser porque no la tendría allí a mano para dártela; pero yo la veré y se satisfará todo. ¿Sabes de qué estoy maravillado, Sancho? De que me parece que fuiste y viniste por los aires, pues poco más de tres días has tardado en ir y venir desde aquí a El Toboso, habiendo de aquí allá más de treinta leguas. Por lo cual me doy a entender que aquel sabio nigromante, que es amigo mío, te debió de ayudar a caminar sin que tú lo sintieses; que hay sabios de estos que cogen a un caballero andante durmiendo en su cama, y sin saber cómo o de qué manera, amanece al otro día a más de mil leguas de donde anocheció. Así que, amigo Sancho, no se me hace dificultoso creer que en tan breve tiempo hayas ido y venido desde este lugar a El Toboso, pues, como tengo dicho, algún sabio amigo te debió de llevar en volandas sin que tú lo sintieses."

"Eso ha debido de ser" —dijo Sancho.

"Pero dejando esto aparte, —dijo Don Quijote— ¿qué te parece a ti que debo yo de hacer ahora acerca de lo que mi señora me manda que la vaya a ver? Que aunque yo veo que estoy obligado a cumplir su mandato, me veo también imposibilitado del don que he prometido a la princesa que con nosotros viene, y fuérzame la ley de caballería a cumplir mi palabra antes que mi gusto. Lo que pienso hacer es llegar presto donde está este gigante, cortarle la cabeza, poner a la princesa pacíficamente en su estado, y al punto daré la vuelta a buscar a la luz que mis sentidos alumbra, a la que daré tales disculpas que ella venga a tener por buena mi tardanza."

"So far all goes well —said Don Quixote—. But tell me: what jewel was it that she gave you on your departure in return for your tidings of me? For it is an ancient custom to give the squires who bring news some rich jewel as acknowledgment of the message."

"That is very likely, —said Sancho— but that must have been in days gone by, for now it would seem to be the custom only to give a piece of bread and cheese, because that was what my lady Dulcinea gave me over the top of the yard-wall when I took leave of her; and what's more, it was sheep's-milk cheese."

"She is generous in the extreme, —said Don Quixote— and if she did not give you a jewel of gold, no doubt it must have been because she had not one at hand there to give you; but I will see her and all will be made right. Do you know what amazes me, Sancho? It seems to me you must have gone and come through the air, for you have taken but little more than three days to go to El Toboso and return, though it is more than thirty leagues from here to there. From which I am inclined to think that that sage magician, a friend of mine, must have helped you to travel without your knowledge; for some of these sages can catch up a knight-errant sleeping in his bed, and without his knowing how or in what way it happened, he wakes up the next day more than a thousand leagues away from the place where he went to sleep. So that, friend Sancho, I find no difficulty in believing that you may have gone from this place to El Toboso and returned in such a short time, since, as I have said, some friendly sage must have carried you through the air without your perceiving it."

"That must have been it" —said Sancho.

"But putting this aside, —said Don Quixote— what do you think I ought to do about my lady's command to go and see her? For though I feel that I am bound to obey her mandate, I feel too that I am debarred by the boon I have accorded to the princess that accompanies us, and the law of chivalry compels me to have regard for my word in preference to my pleasure. What I think I will do is to reach quickly the place where this giant is, to cut off his head, to establish the princess peacefully in her realm, and then to return and look for the light that lightens my senses, to whom I will make such excuses that she will be led to approve of my delay."

"¡Ay! ¡Cómo está vuestra merced lastimado de esos cascos! —exclamó Sancho—. Pues dígame, señor, ¿piensa vuestra merced caminar este camino en balde, y dejar pasar y perder un tan rico y tan principal casamiento como éste, donde le dan en dote un reino? Tome mi consejo, y perdóneme, y cásese enseguida en el primer lugar que haya cura, que *más vale pájaro en mano que ciento volando*."

En esto les dio voces el barbero para que esperasen un poco, que querían detenerse a comer y beber en una fuente que allí estaba. Se detuvo Don Quijote, con no poco gusto de Sancho, que ya estaba cansado de mentir tanto. El sabía que Dulcinea era una labradora de El Toboso, pero no la había visto en toda su vida.

CAPÍTULO XIV

# QUE TRATA DE LA BRAVA Y DESCOMUNAL BATALLA QUE DON QUIJOTE TUVO CON UNOS CUEROS DE VINO TINTO

Tan pronto como acabaron de comer, ensillaron al momento y, sin que les sucediese cosa digna de contar, llegaron al otro día a la venta.

La ventera, el ventero, su hija y Maritornes salieron a recibirles con muestras de mucha alegría. Don Quijote les pidió que le aderezasen una cama mejor que la de la vez pasada. La ventera le respondió que si la pagaba mejor que la otra vez, que ella se la daría de príncipes. Don Quijote dijo que sí lo haría, así que le aderezaron una razonable en el mismo camaranchón de marras. Don Quijote se acostó enseguida, porque venía muy quebrantado y falto de sueño.

Hizo el cura que les preparasen de comer de lo que en la venta hubiese, y el ventero, con esperanza de mejor paga, con diligencia les aderezó una razonable comida. A todo esto dormía Don Quijote, y pensaron que era mejor no despertarle, porque más provecho le haría por entonces el dormir que el comer. En la comida, estando delante el ventero, su mujer, su hija, Maritornes y todos los viajeros, trataron de la extraña locura de Don Quijote y del modo en que le habían encontrado.

"Oh dear! What a sad state your worship's brains are in! — exclaimed Sancho—. Tell me, sir, do you mean to travel all that way for nothing, and to let slip and lose so rich and great a match as this, where they give as a portion a kingdom? Take my advice, and forgive me, and marry at once in the first village where there is a curate, for *a bird in the hand is worth two in the bush.*"

The barber here called out to them to wait a while, as they wanted to halt and eat something and drink at a little spring there was there. Don Quixote drew up, not a little to the satisfaction of Sancho, for he was by this time weary of telling so many lies. He knew that Dulcinea was a peasant girl of El Toboso, but he had never seen her in all his life.

CHAPTER XIV

# WHICH TREATS OF THE HEROIC AND PRODIGIOUS BATTLE DON QUIXOTE HAD WITH CERTAIN SKINS OF RED WINE

As soon as their meal was over, they saddled at once and, without any adventure worth mentioning, they reached next day the inn.

The landlady, the landlord, their daughter and Maritornes went out to welcome them with signs of hearty satisfaction. Don Quixote asked them to make up a better bed for him than the last time. The landlady replied that if he paid better than he did the last time, she would give him one fit for a prince. Don Quixote said he would, so they made up a tolerable one for him in the same garret as before. Don Quixote lay down at once, being sorely shaken and in want of sleep.

The curate made them get ready such food as there was in the inn, and the landlord, in hope of better payment, served them up a tolerably good dinner. All this time Don Quixote was asleep, and they thought it best not to waken him, as sleeping would now do him more good than eating. While at dinner, the company consisting of the landlord, his wife, their daughter, Maritornes, and all the travellers, they discussed the strange craze of Don Quixote and the manner in which he had been found.

En esto irrumpió Sancho en la sala, diciendo a voces:

"¡Acudid, señores! ¡Presto! ¡Socorred a mi señor, que anda envuelto en la más reñida y trabada batalla que mis ojos han visto! ¡Vive Dios, que ha dado una cuchillada al gigante enemigo de mi señora, la princesa Micomicona, que le ha tajado la cabeza cercén a cercén como si fuera un nabo!"

"¿Qué decís, hermano? —dijo el cura—. ¿Cómo diablos puede ser eso que decís, estando el gigante a dos mil leguas de aquí?"

En esto oyeron un gran ruido en el aposento, y que Don Quijote decía a voces:

"¡Tente, ladrón! ¡Que aquí te tengo!" Y parecía que daba grandes sablazos a las paredes.

"No tienen que pararse a escuchar, —dijo Sancho— sino entren a ayudar a mi amo; aunque ya no es menester, porque, sin duda alguna, el gigante está ya muerto; yo vi correr la sangre por el suelo, y la cabeza cortada y caída a un lado, que es tamaña como un gran cuero de vino."

"¡Que me maten —exclamó a esta sazón el ventero— si Don Quijote o Don Diablo no ha dado algún sablazo a alguno de los cueros de vino tinto que a su cabecera estaban llenos! ¡El vino derramado debe ser lo que le parece sangre a este buen hombre!"

Y con esto, entraron en el aposento, y encontraron a Don Quijote en el más extraño traje del mundo. Estaba en camisa, la cual no era tan cumplida, que por delante le acabase de cubrir los muslos, y por detrás tenía seis dedos menos; las piernas eran muy largas y flacas, llenas de vello, y nada limpias; tenía en la cabeza un bonetillo colorado grasiento, que era del ventero; en el brazo izquierdo tenía revuelta la manta de la cama, y en la derecha, desenvainada la espada, con la que daba sablazos a todas partes, diciendo palabras como si verdaderamente estuviera peleando con algún gigante. Y es lo bueno que no tenía los ojos abiertos, porque estaba profundamente dormido y soñando que estaba en batalla con el gigante.

Suddenly Sancho burst into the room, shouting:

"Run, sirs! Quick! Help my master, who is in the thick of the toughest and stiffest battle I ever laid eyes on! By the living God, he has given the giant, the enemy of my lady, the princess Micomicona, such a slash that he has sliced his head clean off as if it were a turnip!"

"What are you talking about, brother? —said the curate—. How the devil can it be as you say, when the giant is two thousand leagues away?"

Here they heard a loud noise in the chamber, and Don Quixote shouting out:

"Stand, thief! Now I have got you!" And then it seemed as though he were slashing vigorously at the walls.

"Don't stop to listen, —said Sancho— but go in and help my master; although there is no need of that now, for no doubt the giant is dead by this time; I saw his blood flowing on the ground, and the head cut off and fallen on one side, and it is as big as a large wine-skin."

"May I die —exclaimed the landlord at this— if Don Quixote or Don Devil has not been slashing some of the skins of red wine that stand full at his bed's head! The spilt wine must be what this good fellow takes for blood!"

And so saying, they went into the room, and there they found Don Quixote in the strangest costume in the world. He was in his shirt, which was not long enough in front to cover his thighs completely and was six fingers shorter behind; his legs were very long and lean, covered with hair, and anything but clean; on his head he had a little greasy red cap, which belonged to the landlord; round his left arm he had rolled the blanket of the bed, and in his right hand, he held his unsheathed sword, with which he was slashing about on all sides, uttering exclamations as if he were actually fighting some giant. And the best of it was his eyes were not open, because he was fast asleep and dreaming that he was doing battle with the giant.

Cuando el ventero vio que todo el aposento estaba lleno de vino, se enojó tanto que arremetió contra Don Quijote y, a puño cerrado, le comenzó a dar tantos golpes, que si Cardenio y el cura no lo separaran, él acabara la guerra del gigante. Y con todo aquello, no despertaba el pobre caballero hasta que el barbero trajo un gran caldero de agua fría del pozo y se lo echó por todo el cuerpo de golpe.

Mientras, Sancho andaba buscando la cabeza del gigante por todo el suelo, y como no la encontraba, dijo:

"Ya veo que todo lo de esta casa es encantamiento; ahora no aparece por aquí esta cabeza, aunque la vi cortar por mis mismísimos ojos y la sangre corría del cuerpo como de una fuente."

"¿Qué sangre ni qué fuente dices, enemigo de Dios y de sus santos? —exclamó el ventero—. ¿No ves, ladrón, que la sangre y la fuente no son otra cosa que estos cueros que aquí están acuchillados y el vino tinto que nada en este aposento? ¡Que nadando vea yo el alma en los infiernos de quien los acuchilló!"

"No sé nada de eso —respondió Sancho—. Sólo sé que por no hallar esa cabeza, se me ha de deshacer mi condado como la sal en el agua."

El ventero se desesperaba al ver la flema del escudero y el maleficio del señor, y juraba que no había de ser como la vez pasada, que se le fueron sin pagar. El cura agarraba de las manos a Don Quijote, el cual, creyendo que ya había acabado la aventura y que se hallaba delante de la princesa Micomicona, se hincó de rodillas delante del cura y dijo:

"Bien puede la vuestra grandeza, alta y hermosa señora, vivir de hoy en adelante sin temor de cualquier daño. Yo también, de hoy en adelante, me libero de la palabra que os di, pues, con la ayuda del alto Dios y con el favor de aquella por quien yo vivo y respiro, tan bien la he cumplido."

"¿No lo dije yo? —dijo oyendo esto Sancho—. Sí que no estaba yo borracho. ¡Mirad si tiene puesto ya en sal mi amo al gigante!"

When the landlord saw that the whole room was full of wine, he was so enraged that he fell on Don Quixote and, with his clenched fist, he began to punch him in such a way, that if Cardenio and the curate had not dragged him off, he would have brought the war of the giant to an end. But in spite of all, the poor gentleman never woke until the barber brought a great pot of cold water from the well and flung it with one dash all over his body.

Meanwhile, Sancho was searching all over the floor for the head of the giant, and not finding it, he said:

"I see now that it's all enchantment in this house; now this head is not to be seen anywhere about, although I saw it cut off with my own eyes and the blood running from the body as if from a fountain."

"What blood and fountain are you talking about, enemy of God and his saints? —exclaimed the landlord—. Don't you see, you thief, that the blood and the fountain are only these skins here that have been stabbed and the red wine swimming all over the room? I wish I saw the soul of him that stabbed them swimming in hell!"

"I know nothing about that —replied Sancho—. All I know is that through not finding that head, my county will melt away like salt in water."

The landlord was beside himself at the coolness of the squire and the mischievous doings of the master, and he swore it should not be like the last time when they went without paying. The curate was holding Don Quixote's hands, who, fancying he had now ended the adventure and was in the presence of the princess Micomicona, knelt before the curate and said:

"Exalted and beauteous lady, your highness may live from this day forth fearless of any harm. I am also, from this day forth, released from the promise I gave you, since, by the help of God on high and by the favour of her by whom I live and breathe, I have fulfilled it so successfully."

"Did not I say so? —said Sancho on hearing this—. You see I wasn't drunk. There you see my master has already salted the giant!"

¿Quién no había de reír con los disparates de los dos, amo y escudero? Reían todos, todos excepto el ventero, que se daba a Satanás. Al final el barbero, Cardenio y el cura, con no poco trabajo, metieron a Don Quijote en la cama, el cual se quedó dormido con muestras de grandísimo cansancio.

Entonces se salieron al portal de la venta a aplacar al ventero, que estaba desesperado por la repentina muerte de sus cueros. Y decía la ventera en voz y en grito:

"En mal punto y en mala hora entró en mi casa ese caballero andante! La vez pasada se fue con el costo de una noche, de cena, cama, paja y cebada para él y para su escudero, y un rocín y un jumento, diciendo que era caballero aventurero —que mala ventura le dé Dios, a él y a cuantos aventureros hay en el mundo— y que por esto no estaba obligado a pagar nada. Y ahora para rematar, me revienta los cueros y me derrama el vino! ¡Que derramada le vea yo su sangre! ¡Pues que no se engañe, que me lo han de pagar un cuarto sobre otro, o no me llamaría yo como me llamo, ni sería yo hija de quien soy!"

Estas y otras razones tales decía la ventera con gran enojo. El cura lo sosegó todo, prometiendo satisfacerles su pérdida lo mejor que pudiese. Mientras tanto, Sancho aseguraba a la princesa que tuviese por cierto que él había visto la cabeza del gigante. Dorotea dijo que así lo creía, y que no tuviese pena; que todo se haría bien y sucedería a pedir de boca. Estando en esto, el ventero, que estaba a la puerta de la venta, dijo:

"Viene una buena tropa de huéspedes."

"¿Qué gente son?" —dijo Cardenio.

"Cuatro hombres —respondió el ventero— y con ellos, una mujer."

"¿Vienen muy cerca?" —preguntó el cura.

"Tan cerca —respondió el ventero— que ya llegan."

Who could have helped laughing at the absurdities of the pair, master and squire? They all were laughing, all except the landlord, who cursed himself. At length the barber, Cardenio and the curate contrived with no small trouble to get Don Quixote on his bed, and he fell asleep with every appearance of excessive weariness.

Then they came out to the gate of the inn to appease the landlord, who was furious at the sudden death of his wine-skins. And said the landlady half scolding, half crying:

"At an evil moment and in an unlucky hour he came into my house, that knight-errant! The last time he went off with the over-night score against him for supper, bed, straw, and barley for himself and his squire, and a hack and an ass, saying he was a knight adventurer —God send bad luck to him and to all the adventurers in the world— and therefore not bound to pay anything. And then for a finishing touch to all, he bursts my wine-skins and spills my wine! I wish I saw his own blood spilt! But let him not deceive himself, for, they will pay me down every quarts, or my name is not what it is, and I am not my father's daughter!"

All this and more to the same effect the landlady delivered with great irritation. The curate smoothed matters by promising to make good all losses to the best of his power. Meanwhile, Sancho assured the princess she might rely upon it that he had seen the head of the giant. Dorotea said that she fully believed it, and that he need not be uneasy, for all would go well and turn out as he wished. Just at that instant the landlord, who was standing at the gate of the inn, said:

"Here comes a fine troop of guests."

"What are they?" —said Cardenio.

"Four men —replied the landlord— and there is a woman with them."

"Are they very near?" —asked the curate.

"So near —answered the landlord— that here they come."

Resultaron ser Don Fernando, el esposo de Dorotea, y Luscinda, la amante de Cardenio. Todos en la venta les dieron la bienvenida, y las dos parejas se abrazaron.

# QUE TRATA DE OTROS RAROS SUCESOS QUE EN LA VENTA SUCEDIERON

Sancho escuchaba, no con poco dolor de su alma, todo lo que las parejas se decían, viendo cómo sus esperanzas de dignatario desaparecían y se esfumaban como el humo. Entonces comenzó a llorar porque ahora sabía que Dorotea no era, como él pensaba, la reina Micomicona, de quien él esperaba tantas mercedes. La linda princesa Micomicona se le había convertido en Dorotea, y el gigante, en Don Fernando, su esposo, y su amo estaba durmiendo a pierna suelta, bien descuidado de todo lo sucedido.

Todos en la venta estaban contentos y gozosos; pero quien más contenta estaba y de mejor humor era la ventera, por la promesa que Cardenio y el cura le habían hecho de pagarle todas las pérdidas y el daño que por cuenta de Don Quijote le hubiesen venido. Sólo Sancho, como ya se ha dicho, era el afligido, el desventurado y el triste; y así, con melancólico semblante, entró a ver a su amo, que se acababa de despertar, y le dijo:

"Señor Triste Figura, bien puede vuestra merced dormir todo lo que quisiere, sin cuidado de matar a ningún gigante ni de devolver a la princesa su reino; que ya todo está hecho y concluido."

"Eso creo yo, —respondió Don Quijote— porque he tenido con el gigante la más descomunal y desaforada batalla que recuerdo haber tenido en todos los días de mi vida. ¡De un revés —¡zas!— le derribé la cabeza al suelo! ¡Tanta la sangre que le salió que los arroyos corrían por la tierra como si fueran de agua!"

They happened to be Don Fernando, Dorotea's husband and Luscinda, Cardenio's lover. Everybody in the inn welcomed them, and the two couples embraced each other.

Chapter XV

# WHICH TREATS OF MORE CURIOUS INCIDENTS THAT OCCURRED AT THE INN

Sancho was listening to what the two couples were saying, with no little sorrow at heart, seeing how his hopes of dignity were fading away and vanishing in smoke. Then he began to weep because now he knew that Dorotea was not, as he fancied, the queen Micomicona, of whom he expected such great favours. The fair princess Micomicona had turned into Dorotea, and the giant, into Don Fernando, her husband, while his master was sound asleep, totally unconscious of all that had come to pass.

Everybody in the inn was full of contentment and satisfaction; but the one that was in the highest spirits and good humour was the landlady, because of the promise Cardenio and the curate had given her to pay for all the losses and damage she had sustained through Don Quixote's means. Sancho, as it has been already said, was the only one who was distressed, unhappy and dejected; and so with a long face, he went in to see his master, who had just awoke, and said to him:

"Sir Sad Countenance, your worship may as well sleep on as much as you like, without troubling yourself about killing any giant or restoring her kingdom to the princess; for that is all over and settled now."

"I should think it was, —replied Don Quixote— for I have had the most prodigious and stupendous battle with the giant that I ever remember having had all the days of my life. With one back-stroke —swish!— I brought his head tumbling to the ground! So much blood gushed forth from him that it ran in rivulets over the earth like water!"

"Como si fueran de vino tinto, diría mejor vuestra merced —respondió Sancho—; porque quiero que sepa vuestra merced, si es que no lo sabe, que el gigante muerto es un cuero horadado, la sangre, el vino tinto que encerraba en su vientre, y la cabeza cortada es... ¡Y llévoselo todo Satanás!"

"Y ¿qué es lo que dices, mentecato? —dijo Don Quijote—. ¿Estás en tu seso?"

"Levántese vuestra merced, —dijo Sancho— y verá el buen recado que ha hecho, y lo que tenemos que pagar, y verá a la reina convertida en una dama particular, llamada Dorotea, con otros sucesos, que, si cae en ellos, le han de admirar."

"No me maravillaría nada de eso, —replicó Don Quijote— porque, si bien te acuerdas, la otra vez que aquí estuvimos te dije yo que todo cuanto aquí sucedía eran cosas de encantamiento, y no sería mucho que ahora fuese lo mismo."

"Todo lo creyera yo —respondió Sancho— si también mi manteamiento fuera cosa de ese jaez; mas no lo fue, sino real y verdadero; y vi yo que el ventero, que aquí está hoy día, sostenía un cabo de la manta, y me empujaba hacia el cielo con mucho donaire y brío, y con tanta risa como fuerza. Tengo para mí, aunque simple y pecador, que aquí no hay encantamiento alguno, sino mucho molimiento y mucha mala ventura."

"Bueno, bueno, Dios lo remediará —dijo Don Quijote—. Dame de vestir, y déjame salir allá fuera; que quiero ver los sucesos y transformaciones que dices."

Sancho fue a buscarle la ropa. Mientras Don Quijote se vestía, contó el cura a Don Fernando y a los demás las locuras de Don Quijote, y el artificio que habían usado para sacarle de Peña Pobre, donde él se imaginaba estar por desdenes de su señora. Les contó asimismo casi todas las aventuras que Sancho le había contado, de las que no poco se admiraron y rieron, por parecerles lo que a todos les parecía ser: el más extraño género de locura que podía caber en pensamiento disparatado. Dijo más el cura: que pues la aparición del esposo de Dorotea le impedía a ella proseguir con el plan, ...

"Like red wine, your worship had better say —replied Sancho—; for I would have you know, if you don't know it, that the dead giant is a hacked wine-skin, the blood, the red wine that it had in its belly, and the cut-off head is… And the devil take it all!"

"What are you talking about, fool? —said Don Quixote—. Are you in your senses?"

"Let your worship get up, —said Sancho— and you will see the nice business you have made of it, and what we have to pay; and you will see the queen turned into a private lady, called Dorotea, and other things that will astonish you, if you understand them."

"I will not be surprised at anything of the kind, —returned Don Quixote— for if you do remember, the last time we were here, I told you that everything that happened here was a matter of enchantment, and it would be no wonder if it were the same now."

"I could believe all that —replied Sancho— if my blanketing was the same sort of thing also; only it wasn't, but real and genuine; for I saw the landlord, who is here today, holding one end of the blanket and jerking me up to the skies very neatly and smartly, and with as much laughter as strength. I hold for my part, simple and sinner as I am, that there is no enchantment about it at all, but a great deal of bruising and bad luck."

"Well, well, God will give a remedy —said Don Quixote—. Hand me my clothes and let me go out, for I want to see these trans-formations and things you speak of."

Sancho fetched him his clothes. While Don Quixote was dressing, the curate gave Don Fernando and the others present an account of Don Quixote's madness, and of the stratagem they had made use of to withdraw him from Peña Pobre, where he fancied himself stationed because of his lady's scorn. He described to them also nearly all the adventures that Sancho had mentioned, at which they marvelled and laughed not a little, thinking it, as all did, the strangest form of madness a crazy intellect could be capable of. But now, the curate said that, as the appearance of Dorotea's husband prevented her from proceeding with their plan, …

sería menester inventar otro para poder llevar a Don Quijote a su casa. Cardenio propuso continuar con el ardid que habían empezado, y sugirió que Luscinda representaría la persona de Dorotea bastante bien.

"No, —dijo Don Fernando— no ha de ser así, que yo quiero que Dorotea prosiga con su idea. Y si no está muy lejos de aquí la aldea de este buen caballero, me alegraré si algo puedo hacer por su remedio."

"No está más de dos jornadas de aquí" —dijo el cura.

"Pues aunque estuviera a más, —dijo Don Fernando— gustara yo de caminarlas a cambio de hacer tan buena obra."

Salió en esto Don Quijote, armado de todos sus pertrechos, embrazado de su escudo y apoyado en su lanzón. Suspendió a Don Fernando y a los demás la extraña figura de Don Quijote, viendo su rostro de media legua de andadura, seco y amarillo, la desigualdad de su armadura y su mesurado continente.

Don Quijote, puestos los ojos en la hermosa Dorotea, se dirigió a ella con mucha gravedad y reposo:

"Me ha informado, hermosa señora, este mi escudero que de reina y gran señora que solíades ser, os habéis convertido en una particular doncella. Si esto ha sido por orden del rey nigromante de vuestro padre, temeroso de que yo no os diese la necesaria y debida ayuda, digo que no le deis crédito alguno, porque no hay ningún peligro en la tierra contra el que no se abra camino mi espada, con la cual daré con la cabeza de vuestro enemigo en tierra y os pondré en la vuestra la corona de vuestro reino."

No dijo nada más Don Quijote, y esperó a que la princesa le respondiese; la cual, como ya sabía la determinación de Don Fernando de que se prosiguiese adelante en el engaño hasta llevar a Don Quijote a su casa, con mucho donaire y gravedad, le respondió:

it would be necessary to devise some other way of getting Don Quixote home. Cardenio proposed to carry on the scheme they had begun, and suggested that Luscinda would act Dorotea's part sufficiently well.

"No, —said Don Fernando— that must not be, for I want Dorotea to follow out this idea of hers. And if the worthy gentleman's village is not very far off, I will be happy if I can do anything for his relief."

"It is not more than two days' journey from here" —said the curate.

"Even if it were more, —said Don Fernando— I would gladly travel so far for the sake of doing so good a work."

At this moment Don Quixote came out in full panoply, his shield on his arm and leaning on his pike. The strange figure he presented filled Don Fernando and the rest with amazement, as they contemplated his lean yellow face half a league long, his armour of all sorts, and the solemnity of his deportment.

Don Quixote, fixing his eyes on the fair Dorotea, addressed her with great gravity and composure:

"I have been informed, fair lady, by my squire that from a queen and lady of high degree as you used to be, you have been turned into a private maiden. If this has been done by the command of the magician king your father, through fear that I should not afford you the aid you need and are entitled to, I may say that you ought not to attach any importance to it, for there is no peril on earth through which my sword will not force a way, and with it, I will bring your enemy's head to the ground and place on yours the crown of your kingdom."

Don Quixote said no more, and waited for the reply of the princess, who aware of Don Fernando's determination to carry on the deception until Don Quixote had been conveyed to his home, with great ease of manner and gravity, replied to him:

"Quienquiera que os dijo, valeroso caballero, que yo me había mudado y trocado de mi ser, no os dijo la verdad, porque la misma que ayer fui, soy hoy, y no por eso he dejado de ser la de antes, o de tener los mismos pensamientos de valerme del valor de vuestro valeroso e invencible brazo que siempre he tenido. Lo que resta es que mañana nos pongamos en camino, porque ya hoy se podrá hacer poca jornada; y por lo demás el buen suceso que espero, lo confío a Dios y al valor de vuestro pecho."

Entonces Don Quijote se volvió a Sancho, y con muestras de mucho enojo, le dijo:

"Ahora te digo, Sanchuelo, que eres el mayor bellaco que hay en España. Dime, ladrón vagabundo, ¿no me acabas de decir que esta princesa se había convertido en una doncella que se llamaba Dorotea, y otros disparates que me pusieron en la mayor confusión en que jamás he estado en todos los días de mi vida? ¡Voto... —y miró al cielo y apretó los dientes—, que estoy por hacer un estrago en ti, que ponga sal en la mollera a todos cuantos mentirosos escuderos hubiere de caballeros andantes, de aquí en adelante, en el mundo!"

"Vuestra merced se sosiegue, señor, —respondió Sancho— que bien podría ser que yo me hubiese engañado en lo que toca a la mutación de la señora princesa Micomicona; pero en lo que toca a la cabeza del gigante, o a lo menos, a la horadación de los cueros y a lo de ser vino tinto la sangre, no me engaño, vive Dios, porque los cueros allí están heridos, a la cabecera del lecho de vuestra merced, y el vino tinto tiene hecho un lago el aposento. De lo demás, de que la señora reina se quede como estaba, me regocijo en el alma, porque me va mi parte, como a cada hijo de vecino."

"Te digo otra vez, Sancho, —dijo Don Quijote— que eres un mentecato; perdóname, y basta."

"Basta —dijo Don Fernando—. No se hable más; y pues la señora princesa dice que se camine mañana porque ya hoy es tarde, hágase así. Esta noche la podremos pasar en buena conversación, y mañana todos acompañaremos al señor Don Quijote, porque queremos ser testigos de las valerosas e inauditas hazañas que ha de hacer en el discurso de esta gran empresa que a su cargo lleva."

"Whoever told you, valiant knight, that I had undergone any change or transformation did not tell you the truth, for I am the same as I was yesterday, and I have not therefore ceased to be what I was before, or to entertain the same desire I have had all through of availing myself of the might of your valiant and invincible arm. All that remains is to set out on our journey tomorrow, for today we could not make much way; and for the rest of the happy result I am looking forward to, I trust to God and the valour of your heart."

Then Don Quixote turned to Sancho, and said to him, with an angry air:

"I declare now, Sanchuelo, you are the greatest little villain in Spain. Say, thief and vagabond, haven't you just told me that this princess had been turned into a maiden called Dorotea, and other nonsense that put me in the greatest perplexity I have ever been in all my life? I vow... —and here he looked to heaven and ground his teeth— I have a mind to play the mischief with you, in a way that it will teach sense for the future to all lying squires of knights-errant in the world!"

"Let your worship be calm, sir, —returned Sancho— for it may well be that I have been mistaken as to the change of the lady princess Micomicona; but as to the giant's head, or at least as to the piercing of the wine-skins and the blood being red wine, I make no mistake, as sure as there is a God, because the wounded skins are there, at the head of your worship's bed, and the wine has made a lake of the room. For the rest, I am heartily glad that her ladyship the queen is as she was, for it concerns me as much as anyone."

"I tell you again, Sancho, —said Don Quixote— you are a fool; forgive me, and that will do."

"That will do —said Don Fernando—. Let us say no more about it; and as her ladyship the princess proposes to set out tomorrow because it is too late today, so be it. We will pass the night in pleasant conversation, and tomorrow we will all accompany Sir Don Quixote, for we wish to witness the valiant and unparalleled achievements he is about to perform in the course of this mighty enterprise which he has undertaken."

"Agradezco mucho la merced que se me hace —respondió Don Quijote— y la buena opinión que de mí se tiene."

Muchas palabras de comedimiento y muchos ofrecimientos pasaron entre Don Quijote y Don Fernando.

Durante la conversación que mantuvieron aquella noche, idearon un plan para que el cura y el barbero pudiesen llevarse consigo a Don Quijote y procurar la cura de su locura en su casa. Y así concertaron con un carretero de bueyes, que acertó a pasar por allí, para que lo llevase, de esta forma: Hicieron como una jaula, de palos enrejados, capaz que pudiese en ella caber holgadamente Don Quijote; y luego Don Fernando y sus camaradas, juntamente con el ventero, todos, por orden y parecer del cura, se cubrieron los rostros y se disfrazaron.

Hecho esto, con grandísimo silencio, entraron adonde estaba Don Quijote durmiendo. Y trayendo allí la jaula, le encerraron dentro y clavaron los maderos tan fuertemente que no se pudieran romper a dos tirones. La cogieron luego a hombros, y al salir del aposento, se oyó una espantosa voz que decía:

"¡Oh Caballero de la Triste Figura! —exclamó el barbero—. No te aflijas por ir en prisión; conviene para acabar más presto la aventura en que tu gran corazón te puso. Esta aventura se acabará cuando el furibundo león manchego y la blanca paloma tobosina sean unidos en matrimonio. Y de esta maravillosa unión saldrán a la luz del orbe los bravos cachorros, que imitarán las rampantes garras de su valeroso padre. ¡Y tú, Oh, el más noble y obediente escudero! Yo te aseguro, de parte de la sabia Mentironiana, que tu salario te será pagado. Sigue las huellas del valeroso y encantado caballero, tu amo, pues conviene que vayas al destino asignado para ambos. Y como no me es lícito decir otra cosa, ¡quedad con Dios!"

"I am much gratified by the favour that is bestowed upon me — replied Don Quixote— and by the good opinion entertained of me."

Many were the compliments and expressions of politeness that passed between Don Quixote and Don Fernando.

During the conversation they held that night, they devised a plan so that the curate and the barber might carry Don Quixote away with them and be able to take his madness in hand at home. So they arranged with the owner of an oxcart, who happened to be passing that way, to carry him after this fashion: They constructed a kind of cage with wooden bars, large enough to hold Don Quixote comfortably; and then Don Fernando and his companions, together with the landlord, all of them, by the directions and advice of the curate, covered their faces and disguised themselves.

This done, in profound silence, they entered the room where Don Quixote was asleep. And bringing in the cage, they shut him up in it and nailed the bars so firmly that they could not be easily burst open. Then they took it on their shoulders, and as they passed out of the room, an awful voice was heard to say:

"O Knight of the Sad Countenance! —exclaimed the barber—. Be not grieved at your confinement; it is needful for the more speedy accomplishment of the adventure in which your great heart has committed you. This adventure will be accomplished when the raging Manchegan lion and the white Tobosan dove will be joined in marriage. And from this marvellous union will come forth to the light of the world brave whelps, which will rival the ravening claws of their valiant father. And you, O most noble and obedient squire! I assure you, on the authority of the sage Mentironiana, that your wages will be paid to you. Follow the footsteps of the valiant enchanted knight, your master, for it is expedient that you should go to the destination assigned to both of you. And as it is not permitted to me to say more, God be with you!"

Quedó Don Quijote consolado con la profecía que escuchó, porque enseguida comprendió de todo en todo su significado y vio que le prometían el verse unido en santo y debido matrimonio con su querida Dulcinea del Toboso, de cuyo feliz vientre saldrían los cachorros, que eran sus hijos, para gloria perpetua de La Mancha; y creyendo esto bien y firmemente, alzó la voz, y dando un gran suspiro, exclamó:

"¡Oh tú, quienquiera que seas, que tanto bien me has pronosticado! Te ruego que pidas de mi parte al sabio encantador que mis cosas tiene a cargo, que no me deje perecer en esta prisión hasta ver cumplidas tan alegres e incomparables promesas como son las que aquí se me han hecho. Y en lo que toca a la consolación de Sancho Panza, mi escudero, yo confío en su bondad que no me abandonará ni en buena ni en mala suerte."

Sancho inclinó la cabeza con mucho comedimiento y le besó ambas manos. Luego aquellas visiones alzaron a hombros la jaula y la acomodaron en el carro de los bueyes.

CAPÍTULO XVI

## DEL EXTRAÑO MODO CON QUE FUE ENCANTADO DON QUIJOTE DE LA MANCHA, JUNTO CON OTROS FAMOSOS SUCESOS

Ya en esto el cura había concertado con los cuadrilleros que acompañasen a Don Quijote hasta su aldea, dándoles un tanto cada día. Sancho montó en su asno y cogió de las riendas de Rocinante. Cardenio puso a los dos lados del carro a dos cuadrilleros con sus escopetas. Pero antes de que se moviese el carro, salió la ventera, su hija y Maritornes a despedirse de Don Quijote.

Don Quixote was comforted by the prophecy he heard, for he at once comprehended its meaning perfectly and perceived it was promised to him that he should see himself united in holy and lawful matrimony with his beloved Dulcinea del Toboso, from whose blessed womb should proceed the whelps, his sons, to the eternal glory of La Mancha; and being thoroughly and firmly persuaded of this, he lifted up his voice, and with a deep sigh, exclaimed:

"Oh you, whoever you are, who have foretold me so much good! I implore of you that on my part you entreat that sage enchanter who takes charge of my interests, not to leave me to perish in this captivity until I see fulfilled promises so joyful and incomparable as those which have been now made to me. And touching the consolation of Sancho Panza, my squire, I rely upon his goodness that he will not desert me in good or evil fortune."

Sancho bowed his head very respectfully and kissed both his hands. Then those apparitions lifted the cage upon their shoulders and fixed it upon the ox-cart.

CHAPTER XVI

# OF THE STRANGE MANNER IN WHICH DON QUIXOTE DE LA MANCHA WAS CARRIED AWAY ENCHANTED, TOGETHER WITH OTHER REMARKABLE INCIDENTS

In the meantime the curate had made an arrangement with the officers that they should take Don Quixote to his village, he paying them so much a day. Sancho mounted his ass and took Rocinante's bridle. Cardenio placed two officers with their muskets at each side of the cart. But before the cart was put in motion, out came the landlady, her daughter and Maritornes to say goodbye to Don Quixote.

El cura y el barbero se despidieron de Don Fernando y sus camaradas, de Dorotea y Luscinda y de todos los demás. Todos se abrazaron y quedaron en darse noticia de los sucesos, diciendo Don Fernando al cura adónde había de escribirle para avisarle en lo que paraba Don Quijote, asegurándole que no habría cosa que más gusto le diese que saberlo.

El cura prometió hacerlo, y se abrazaron una vez más. Entonces el cura montó a caballo, y también su amigo el barbero, los dos con sus antifaces para que Don Quijote no les reconociera. Al final decidieron acomodar a Don Quijote sobre un haz de heno para que estuviera más cómodo, y siguieron el camino que el cura les decía.

Al cabo de seis días llegaron a la aldea de Don Quijote, adonde entraron en la mitad del día, que acertó a ser domingo. Toda la gente estaba en la plaza del mercado, por mitad de la cual atravesó el carro de Don Quijote. Acudieron todos a ver lo que en el carro venía, y cuando conocieron a Don Quijote, quedaron maravillados. Un muchacho acudió corriendo a dar las nuevas al ama y a la sobrina de que su tío y su señor venía, flaco y amarillo y tendido sobre un montón de heno y sobre un carro de bueyes.

La mujer de Sancho Panza acudió corriendo, y así como le vio, lo primero que le preguntó fue si estaba bien el asno. Sancho respondió que venía mejor que su amo.

"Gracias a Dios, —exclamó ella— que tanto bien me ha hecho. Y contadme ahora, amigo: ¿qué bien habéis sacado de vuestras escuderías? ¿Qué saboyana me traéis a mí? ¿Qué zapaticos a vuestros hijos?"

"No traigo nada de eso, mujer mía, —dijo Sancho— sino otras cosas de más consideración y valor."

"Me alegro mucho —respondió su mujer—. Mostradme esas cosas de más valor y consideración, amigo mío, que las quiero ver para que se me alegre este corazón, que tan triste y descontento ha estado en todos estos siglos de vuestra ausencia."

The curate and the barber say goodbye to Don Fernando and his companions, to Dorotea and Luscinda and all the others. They all embraced one another and promised to let each other know how things went with them, and Don Fernando directed the curate where to write to him to tell him what became of Don Quixote, assuring him that there was nothing that could give him more pleasure than to hear of it.

The curate promised to do it, and they embraced each other once more. Then the curate mounted, and his friend the barber did the same, both masked so as not to be recognised by Don Quixote. Finally they decided to accommodate Don Quixote on a truss of hay, where he would be more comfortable, and took the road the curate directed.

At the end of six days they reached Don Quixote's village, and entered it about the middle of the day, which it happened to be a Sunday. The people were all in the market-place, through which Don Quixote's cart passed. They all flocked to see what was in the cart, and when they recognised Don Quixote, they were filled with amazement. A boy ran off to bring the news to the housekeeper and the niece that their master and uncle came back, all lean and yellow and stretched on a truss of hay on an ox-cart.

Sancho Panza's wife came running, and on seeing him, the first thing she asked him was if the ass was well. Sancho replied that he was better than his master was.

"Thanks be to God, —exclaimed she— for being so good to me. Now tell me, my friend, what have you made by your squiring? What gown have you brought me back? What shoes for your children?"

"I bring nothing of that sort, wife, —said Sancho— but other things of more importance and value."

"I am very glad of that —returned his wife—. Show me those things of more value and importance, my friend, for I want to see them to cheer my heart, that has been so sad and heavy all these ages that you have been away."

"En casa os las mostraré, mujer, —dijo Panza—. Por ahora estad contenta, que siendo Dios servido de que otra vez salgamos de viaje en busca de aventuras, vos me veréis presto conde o gobernador de una ínsula, y no de las de por ahí, sino la mejor que pueda hallarse."

"Quiéralo así el cielo, marido mío, —dijo ella— que bien lo necesitamos. Mas decidme, ¿qué es eso de ínsulas, que no lo entiendo?"

"A su tiempo lo verás, mujer, —respondió Sancho— y aun te admirarás de oírte llamar *señoría* por todos tus vasallos."

"¿Qué es lo que decís de *señorías*, ínsulas y vasallos, Sancho?" —dijo Teresa Panza, que así se llamaba la mujer de Sancho, aunque no eran parientes, sino porque se usa en La Mancha tomar las mujeres el apellido de sus maridos.

"No te acucies por saber todo esto tan aprisa, Teresa —dijo Sancho—. Sólo te sabré decir, así de paso, que no hay cosa más gustosa en el mundo que ser un hombre honrado, escudero de un caballero andante y buscador de aventuras. Bien es verdad que la mayoría de ellas no salen tan a gusto como uno quisiera, porque de cien que se encuentran, noventa y nueve suelen salir aviesas y torcidas. Lo sé yo por experiencia, porque de algunas salí manteado, y de otras, molido. Pero, con todo eso, es linda cosa esperar los sucesos, atravesando montes, escudriñando bosques, trepando peñas, visitando castillos, alojándose en ventas a toda discreción, sin pagar —ofrecido sea al diablo el maravedí."

Todas estas pláticas pasaron entre Sancho y su mujer, en tanto que el ama y sobrina de Don Quijote le recibieron, le desnudaron y le tendieron en su antiguo lecho. El las miraba con ojos atravesados, y no acababa de entender en qué parte estaba. El cura les contó lo que había sido menester hacer para traerle a casa. Aquí alzaron las dos de nuevo los gritos al cielo, y renovaron las maldiciones contra los libros de caballerías, y pidieron al cielo que confundiese en el centro del abismo a los autores de tantas mentiras y disparates. Finalmente, se quedaron confusas y temerosas de que se habían de ver sin su amo y tío en el mismo punto que tuviese alguna mejoría; y sí fue como ellas se lo imaginaron.

"I will show them to you at home, wife, —said Panza—. Be content for the present, for if it please God that we should again go on our travels in search of adventures, you will soon see me a count or governor of an island, and that not one of those everyday ones, but the best that is to be had."

"Heaven grant it, husband, —said she— for indeed we have need of it. But tell me, what's this about islands, for I don't understand it?"

"All in good time you will see, wife, —returned Sancho— nay, you will be surprised to hear yourself called *your ladyship* by all your vassals."

"What are you talking about *your ladyships*, islands and vassals, Sancho?" —said Teresa Panza, for so Sancho's wife was called, though they were not relations, for in La Mancha it is customary for wives to take their husbands' surnames.

"Don't be in such a hurry to know all this, Teresa —said Sancho—. I may tell you this much, by the way, that there is nothing in the world more delightful than to be an honest man, squire to a knight-errant and a seeker of adventures. To be sure most of them do not end as pleasantly as one could wish, for out of a hundred, generally ninety-nine turn out cross and contrary. I know it by experience, for out of some, I came off blanket-tossed, and out of others, bruised. Still, for all that, it is a fine thing to be on the look-out for what may happen, crossing mountains, searching woods, climbing rocks, visiting castles, putting up at inns, all at free quarters —let the devil take the *maravedi* to pay."

While this conversation passed between Sancho and his wife, Don Quixote's housekeeper and niece took him in, undressed him and laid him in his old bed. He stared at them with eyes askance, and could not make out where he was. The curate told them what they had been obliged to do to bring him home. On this the pair once more lifted up their voices and renewed their maledictions upon the books of chivalry, and implored heaven to plunge the authors of such lies and nonsense into the midst of the bottomless pit. They were, in short, kept in anxiety and dread lest their uncle and master should give them the slip the moment he found himself somewhat better; and as they feared so it fell out.

Pero el autor de esta historia, puesto que con curiosidad y diligencia ha buscado los hechos que Don Quijote hizo en su tercera salida, no ha podido hallar noticia de ellos, a lo menos, por escrituras auténticas. Sólo la fama ha guardado en las memorias de La Mancha las aventuras de Don Quijote, la tercera vez que salió de su casa, las cuales se cuentan en la segunda parte de esta historia.

*Ilustración de Gustavo Doré*

*"Se le llenó la fantasía de todo aquello que leía en los libros, así de encantamientos como de pendencias, batallas, desafíos, heridas, requiebros, amores, tormentos y disparates imposibles."*

*"His fancy grew full of what he used to read about in his books, enchantments, quarrels, battles, challenges, wounds, wooing, loves, agonies and all sorts of impossible nonsense."*

118

But the author of this history, though he has devoted research and industry to the discovery of the deeds achieved by Don Quixote in his third sally, has been unable to obtain any information respecting them, at any rate derived from authentic documents. Tradition has merely preserved in the memory of La Mancha the adventures of Don Quixote, the third time he sallied, which are related in the second part of this history.

*Ilustración de Gustavo Doré*

*"Hicieron como una jaula, de palos enrejados, capaz que pudiese en ella caber holgadamente Don Quijote."*

*"They constructed a kind of cage with wooden bars, large enough to hold Don Quixote comfortably."*

# EL INGENIOSO
## HIDALGO DON QVI-
### XOTE DE LA MANCHA.

*Compueſto por Miguel de Ceruantes*
*Saauedra*

**DIRIGIDO AL DVQVE DE BEIAR,**
Marques de Gibraleon, Conde de Benalcaçar, y Baña-
res Vizconde de la Puebla de Alcozer, Señor de
las villas de Capilla, Curiel, y
Burguillos

Año,                                        1605.

## CON PRIVILEGIO.
EN MADRID  Por Iuan de la Cueſta.

Vendeſe en caſa de Franciſco de Robles, librero del Rey nŕó ſeñor

*Primera página, edición 1605.*

Museo Casa de Cervantes. Alcalá de Henares (Madrid).

*Molino Espartero. Consuegra (Toledo).*

*Composición Manchega.*

124

*Monumento a Cervantes. Madrid.*

*Cueva de Montesinos.
Ossa de Montiel
(Albacete).*

*Lagunas de Ruidera. Ruidera (Ciudad Real).*

127

*Posada de Los Portales. Tomelloso (Ciudad Real).*

*Castillo del Marqués de Villena. Belmonte (Cuenca).*

*Cueva de Medrano. Argamasilla de Alba (Ciudad Real). Es aquí donde estando preso, Cervantes dio comienzo a su gran obra Don Quijote de La Mancha.*

*Patio y prensa. Casa de Dulcinea. El Toboso (Toledo).*

*Recibidor. Casa de Dulcinea. El Toboso (Toledo).*

*Bodega. Casa de Dulcinea. El Toboso (Toledo).*

*Cocina. Casa de Dulcinea. El Toboso (Toledo).*

*Almazara. Casa de Dulcinea. El Toboso (Toledo).*

*Bombo manchego (supuestamente utilizado para almacenar nieve).*

# SEGUNDA PARTE

*SECOND PART*

# QUE TRATA DE LA NOTABLE PENDENCIA QUE SANCHO PANZA TUVO CON LA SOBRINA Y AMA DE DON QUIJOTE, CON OTROS SUCESOS GRACIOSOS

Cuenta el autor, en la segunda parte de esta historia, que el cura y el barbero se estuvieron casi un mes sin verle, por no traerle a la memoria las cosas pasadas. Pero no por esto dejaron de visitar a su sobrina y a su ama, las cuales decían que su señor por momentos iba dando muestras de estar en su entero juicio. El cura y el barbero recibieron esto con gran contento, por parecerles que habían acertado en haberle traído encantado en el carro de los bueyes, como se contó en la primera parte de esta historia, en el último capítulo. Y así, determinaron visitarle y hacer experiencia de su mejoría.

Le hallaron sentado en la cama. El les recibió muy bien; le preguntaron por su salud, y él dio cuenta de sí y de ella con mucho juicio. Y en esto, oyeron que el ama y la sobrina daban grandes voces en el patio, y acudieron todos al ruido. Sancho Panza pugnaba por entrar a ver a Don Quijote mientras ellas defendían la puerta.

"¿Qué quiere este mostrenco en esta casa? —decía el ama—. ¡Idos a la vuestra, hermano, que vos sois, y no otro, el que distrae y sonsaca a mi señor, y le lleva por esos andurriales!"

# WHICH TREATS OF THE NOTABLE ALTERCATION WHICH SANCHO PANZA HAD WITH DON QUIXOTE'S NIECE AND HOUSEKEEPER, TOGETHER WITH OTHER DROLL MATTERS

The author, in the second part of this history, says that the curate and the barber remained nearly a month without seeing him, lest he should remember what had taken place. They did not, however, omit to visit his niece and housekeeper, who said that their master was now and then beginning to show signs of being in his right mind. This gave great satisfaction to the curate and the barber, for they concluded they had taken the right course in carrying him off enchanted on the ox-cart, as it has been described in the first part of this history, in the last chapter thereof. So they resolved to pay him a visit and test the improvement in his condition.

They found him sitting up in bed. They were very cordially received by him; they asked him after his health, and he talked to them about himself very naturally. At this moment, they heard the housekeeper and the niece were speaking aloud in the courtyard, and at the noise they all ran out. Sancho was striving to force his way in to see Don Quixote while they held the door against him.

"What does this oaf want in this house? —said the house-keeper—. Be off to your own, brother, for it is you, and no one else, that delude my master, and lead him astray, and take him tramping about the country!"

"¡Ama de Satanás! —respondió Sancho—. ¡El sonsacado y el distraído y el llevado por esos andurriales soy yo, que no tu amo! El me sacó de mi casa con engañifas, prometiéndome una ínsula, que hasta ahora espero."

"¡Malas ínsulas te ahoguen, Sancho maldito! —exclamó la sobrina—. ¿Qué son ínsulas? ¿Es alguna cosa de comer? ¡Comilón, que es lo que tú eres!"

"No es de comer, —replicó Sancho— sino de gobernar y regir, y mejor que cuatro ciudades o cuatro alcaldías de corte."

"¡Con todo eso, —exclamó el ama— no entraréis acá! ¡Id a gobernar vuestra casa y a labrar vuestros pegujares, y dejaos de pretender ínsulas ni ínsulos!"

Grande gusto recibían el cura y el barbero de oír el coloquio de los tres; pero Don Quijote le llamó, e hizo a las dos que se callasen y le dejasen entrar. Entró Sancho, y el cura y el barbero se despidieron de Don Quijote. Y estando solos, Don Quijote le dijo a Sancho:

"Mucho me pesa, Sancho, que hayas dicho que fui yo el que te saqué de tu casa: juntos salimos, juntos fuimos y juntos peregrinamos; una misma fortuna y una misma suerte ha corrido por los dos: si a ti te mantearon una vez, a mí me han molido ciento, y esto es lo que te llevo de ventaja. Quiero decir que cuando la cabeza duele, todos los miembros duelen; y así, siendo yo tu amo y señor, soy tu cabeza, y tú, mi parte, pues eres mi criado; y por esta razón el mal que a mí me toca, a ti te ha de doler, y a mí el tuyo. Pero dejemos eso aparte por ahora, que tiempo habrá donde lo ponderemos y pongamos en su punto. Dime, Sancho amigo, ¿qué es lo que dicen de mí en el pueblo? ¿Qué dice la gente corriente de mí? ¿Qué dicen de mi valentía, de mis hazañas y de mi cortesía? Me lo has de decir todo esto sin añadir al bien ni quitar al mal cosa alguna."

"Eso haré yo con mucho gusto, señor mío, —dijo Sancho— con la condición de que vuestra merced no se ha de enojar de lo que dijere."

"Devil's own housekeeper! —replied Sancho—. It is I who am deluded and led astray and taken tramping about the country, and not your master! He enticed me away from home by a trick, promising me an island, which I am still waiting for."

"May evil islands choke you, you detestable Sancho! —exclaimed the niece—. What are islands? Are they something to eat? You glutton, that you are!"

"It is not something to eat, —replied Sancho— but something to govern and rule, and better than four cities or four judgeships at court."

"For all that, —exclaimed the housekeeper— you will not enter here! Go govern your house and till your plot, and give over looking for islands or *shylands*!"

The curate and the barber listened with great amusement to the words of the three; but Don Quixote called to him and made the other two hold their tongues and let him come in. Sancho entered, and the curate and the barber took their leave of Don Quixote. And when they were alone, Don Quixote said to Sancho:

"It grieves me greatly, Sancho, that you have said that I took you out of your cottage: we sallied forth together, we took the road together and we wandered abroad together; we have had the same fortune and the same luck: if they tossed you in a blanket once, they beat me a hundred times, and that is the only advantage I have of you. I mean to say that when the head suffers, all the members suffer; and so, being your lord and master, I am your head, and you are a part of me, as you are my servant; and therefore any evil that affects me, should give pain to you, and yours to me. But let us put that aside for the present, for we will have opportunities enough for considering and settling the point. Tell me, Sancho, my friend, what do they say about me in the village here? What do the common people think of me? What do they say of my valour, of my achievements, of my courtesy? You must tell me all this adding anything to the good or taking away anything from the bad."

"That I will do with all my heart, sir, —said Sancho— provided that your worship will not be vexed at what I say."

"De ninguna manera me enojaré" —respondió Don Quijote.

"Pues lo primero que digo es que —dijo Sancho— el vulgo tiene a vuestra merced por grandísimo loco, y a mí por no menos mentecato. Los hidalgos dicen que, no conteniéndose vuestra merced en los límites de la hidalguía, se ha puesto 'Don' y se ha metido a caballero con cuatro cepas y dos yugadas de tierra, y con un trapo atrás y otro adelante. Dicen los caballeros que no querrían que los hidalgos se opusiesen a ellos, especialmente aquellos que dan humo a sus propios zapatos y toman los puntos de las medias negras con seda verde."

"Eso no tiene que ver conmigo, —dijo Don Quijote— pues ando siempre bien vestido y jamás remendado."

"En lo que toca a la valentía, cortesía, y hazañas de vuestra merced, —prosiguió Sancho— hay diferentes opiniones: unos dicen, *loco pero gracioso*; otros, *valiente pero desgraciado*; otros, *cortés pero impertinente*; y por aquí van discurriendo en tantas cosas, que ni a vuestra merced ni a mí nos dejan hueso sano."

"Mira, Sancho —dijo Don Quijote—: dondequiera que está la virtud en eminente grado, es perseguida. Pocos o ninguno de los famosos varones que han vivido dejó de ser calumniado por la malicia."

"Mas si vuestra merced quiere saber —dijo Sancho— todo lo que hay acerca de las caloñas que le ponen, yo le traeré al momento quien se las diga todas, sin que les falte una miaja. Anoche llegó el hijo de Bartolomé Carrasco, que viene de estudiar de Salamanca, hecho bachiller, y yéndole yo a dar la bienvenida, me dijo que andaba ya en libros la historia de vuestra merced, con el título de *El Ingenioso Hidalgo Don Quijote de La Mancha*; y dice que me mencionan a mí en ella con mi mismo nombre de Sancho Panza, y también a la señora Dulcinea del Toboso, con otras cosas que pasamos nosotros a solas, que me hice cruces de espantado cómo las pudo saber el historiador que las escribió. Si vuestra merced gusta que yo le haga venir aquí, iré por él en volandas."

"I will not be vexed at all" —replied Don Quixote.

"Well then, first of all, I have to tell you that —said Sancho— the common people consider your worship a mighty great madman, and me no less a fool. The gentlemen say that, not keeping within the bounds of your quality of gentleman, you have assumed the 'Don' and made a knight of yourself at a jump, with four vine-stocks and a couple of acres of land, and never a shirt to your back. The petty gentry say they do not want to have gentlemen setting up in opposition to them, particularly those who polish their own shoes and darn their black stockings with green silk."

"That does not apply to me, —said Don Quixote— for I always go well dressed and never patched."

"As to your worship's valour, courtesy and accomplishments, — Sancho went on— there is a variety of opinions: some say, *mad but droll*; others, *valiant but unlucky*; others, *courteous but meddling*; and then they go into such a number of things, that they don't leave a whole bone either in your worship's body or in mine."

"Look, Sancho —said Don Quixote—: wherever virtue exists in an eminent degree, it is persecuted. Few or none of the famous men that have lived escaped being calumniated by malice."

"But if your worship wants to know —said Sancho— all about the calumnies they bring against you, I will fetch you one this instant who can tell you the whole of them without missing an atom. Last night the son of Bartolomé Carrasco, who has been studying at Salamanca, came home after having been made a bachelor, and when I went to welcome him, he told me that your worship's history is already abroad in books, with the title of *The Ingenious Gentleman Don Quixote* de *La Mancha*; and he says they mention me in it by my own name of Sancho Panza, and the lady Dulcinea del Toboso too, and other things that happened to us when we were alone, so that I crossed myself in my wonder how the historian who wrote them down could have known them. If your worship wishes me to fetch the bachelor, I will go for him in a twinkling."

"Me harías un gran favor, amigo —dijo Don Quijote—; que me tiene suspenso lo que me has dicho, y no comeré bocado que bien me sepa hasta ser informado de todo."

"Pues voy a por él" —respondió Sancho. Y dejando a su señor, se fue a buscar al bachiller.

Capítulo II

# DEL RIDÍCULO RAZONAMIENTO QUE PASÓ ENTRE DON QUIJOTE, SANCHO PANZA Y EL BACHILLER CARRASCO

Pensativo quedó Don Quijote, esperando al bachiller Carrasco. Al poco rato, Sancho regresó acompañado del bachiller, a quien Don Quijote recibió con mucha cortesía. Era el bachiller, aunque se llamaba Sansón, no muy grande de cuerpo, aunque muy gran socarrón; de color macilento, pero de muy buen entendimiento; tendría unos veinte y cuatro años, carirredondo, de nariz chata y de boca grande, señales todas de ser de condición maliciosa y amigo de donaires y de burlas, como lo mostró en viendo a Don Quijote, poniéndose delante de él de rodillas y diciendo:

"Déjeme besar la mano de vuestra Grandeza, señor Don Quijote de La Mancha, puesto que su merced es uno de los más famosos caballeros andantes que ha habido, ni aun habrá, en toda la redondez de la tierra."

Don Quijote le hizo levantar, y dijo:

"De esa manera, ¿es verdad que hay una historia mía?"

"Es tan verdad, señor, —dijo Sansón— que tengo para mí que el día de hoy están impresos más de doce mil libros de la tal historia; si no, dígalo Portugal, Barcelona y Valencia, donde se han impreso, y aun hay fama de que se está imprimiendo en Amberes, y a mí se me trasluce que no ha de haber nación ni lengua donde no se traduzca."

"You would do me a great favour, my friend, —said Don Quixote— for what you have told me has amazed me, and I will not eat a morsel that will agree with me until I have heard all about it."

"Then I am off for him" —replied Sancho. And leaving his master, he went in quest of the bachelor.

CHAPTER II

# OF THE LAUGHABLE CONVERSATION THAT PASSED BETWEEN DON QUIXOTE, SANCHO PANZA AND THE BACHELOR CARRASCO

Don Quixote remained very deep in thought, waiting for the bachelor Carrasco. After a while, Sancho returned accompanied by the bachelor, whom Don Quixote received with great courtesy. The bachelor, though he was called Sansón, was of no great bodily size, but he was a very great wag; he was of a sallow complexion, but very sharp-witted, somewhere about four-and-twenty years of age, with a round face, a flat nose and a large mouth, all indications of a mischievous disposition and a love of fun and jokes; and of this he gave a sample as soon as he saw Don Quixote, by falling on his knees before him and saying:

"Let me kiss your Mightiness' hand, Sir Don Quixote de La Mancha, for your worship is one of the most famous knights-errant that have ever been, or will be, all the world over."

Don Quixote made him rise, and said:

"So, then, is it true that there is a history of me?"

"So true is it, sir, —said Sansón— that my belief is there are more than twelve thousand volumes of the said history in print this very day; only ask Portugal, Barcelona and Valencia, where they have been printed, and moreover there is a report that it is being printed at Antwerp, and I am persuaded there will not be a country or language in which there will not be a translation of it."

"Y por ventura, ¿promete el autor una segunda parte?" —dijo Don Quijote.

"Sí promete —respondió Sansón—; pero dice que no ha hallado ni sabe quién la tiene; y así estamos en duda si saldrá o no." A lo que dijo Sancho:

"Atienda el autor, o lo que sea, a mirar lo que hace, que yo y mi señor le daremos tanto ripio a la mano en materia de aventuras y de sucesos diferentes, que pueda componer no sólo segunda parte, sino ciento. Lo que yo sé decir es que si mi señor tomase mi consejo, ya habíamos de estar en esas campañas, deshaciendo agravios y enderezando entuertos, como es uso y costumbre de los buenos caballeros andantes."

No había bien acabado de decir estas razones Sancho cuando llegaron a sus oídos relinchos de Rocinante. Don Quijote lo tomó por felicísimo agüero, y determinó hacer de allí a tres o cuatro días otra salida. Declarando su intento al bachiller, le pidió consejo por qué parte comenzaría su jornada. El bachiller le respondió que era su parecer que fuese al reino de Aragón y a la ciudad de Zaragoza, adonde de allí a pocos días se habían de hacer unas solemnísimas justas por la fiesta de San Jorge, en las cuales podría ganar fama sobre todos los caballeros aragoneses, que sería ganarla sobre todos los del mundo.

"Dios lo haga" —dijo Don Quijote. Y dicho esto, rogó al bachiller que, si era poeta, le hiciese merced de componer unos versos que tratasen de la despedida que pensaba hacer a su señora Dulcinea del Toboso, y que advirtiese que en el principio de cada verso había de poner una letra de su nombre, de manera que al fin de los versos, juntando las primeras letras, se leyese: *Dulcinea del Toboso*. El bachiller respondió que no dejaría de componer tales metros.

Quedaron en esto, y en que la partida sería de allí a tres días. Encargó Don Quijote al bachiller la tuviese secreta, especialmente al cura, a maese Nicolás, el barbero, a su sobrina y al ama. Todo lo prometió Carrasco, y con esto se despidió, encargando a Don Quijote que de todos sus buenos o malos sucesos le avisase, habiendo comodidad. ...

"Does the author promise a second part at all?" —said Don Quixote.

"He does promise one —replied Sansón—; but he says he has not found it, nor does he know who has got it; and we cannot say whether it will appear or not." Whereat Sancho observed:

"Let the author, or whatever he is, pay attention to what he is doing, for I and my master will give him as much grouting ready to his hand, in the way of adventures and incidents of all sorts, as would make up not only one second part, but a hundred. All I say is that if my master would take my advice, we would be now afield, redressing outrages and righting wrongs, as is the use and custom of good knights-errant."

Sancho had hardly uttered these words when the neighing of Rocinante fell upon their ears. Don Quixote accepted it as a happy omen, and he resolved to make another sally in three or four days from that time. Announcing his intention to the bachelor, he asked his advice in what direction he ought to begin his expedition. The bachelor replied that in his opinion he ought to go to the kingdom of Aragón and the city of Zaragoza, where there were to be certain solemn jousts at the festival of *San Jorge*, at which he might win renown above all the knights of Aragón, which would be winning it above all the knights of the world.

"God grant it" —said Don Quixote. And then he begged the bachelor, if he were a poet, to do him the favour of composing some verses for him, conveying the farewell he meant to take of his lady Dulcinea del Toboso, and to see that a letter of her name was placed at the beginning of each line, so that at the end of the verses, *Dulcinea del Toboso* might be read by putting together the first letters. The bachelor replied that he would not fail to compose the required verses.

They agreed upon this, and that the departure should take place in three days from that time. Don Quixote charged the bachelor to keep it a secret, especially from the curate, master Nicholas, the barber, from his niece and the housekeeper. Carrasco promised all, and then took his leave, charging Don Quixote to inform him of his good or evil fortunes, whenever he had an opportunity. ...

Sancho se fue a poner en orden lo necesario para su jornada. En aquellos tres días, Don Quijote y Sancho se acomodaron de lo que les pareció necesario; y habiendo aplacado Sancho a su mujer, y Don Quijote a su sobrina y a su ama, al anochecer, sin que nadie los viese, sino el bachiller, que quiso acompañarles media legua del lugar, se pusieron en camino de El Toboso, Don Quijote sobre su buen Rocinante, y Sancho, sobre su viejo asno.

## Capítulo III

## DONDE SE CUENTA LO QUE LE SUCEDIÓ A DON QUIJOTE YENDO A VER SU SEÑORA DULCINEA DEL TOBOSO

Apenas se hubo apartado Sansón de ellos para volver a la aldea, cuando comenzó a relinchar Rocinante y a suspirar el burro, lo que por ambos, caballero y escudero, fue tenido por buena señal y felicísimo agüero.

"Sancho, amigo, —dijo Don Quijote— la noche se nos va entrando a más andar, y con más oscuridad de la que habíamos menester para alcanzar a ver con el día El Toboso, donde tengo determinado ir antes que en otra aventura me ponga con el fin de recibir la bendición de la sin par Dulcinea."

Media noche era por filo, poco más o menos, cuando Don Quijote y Sancho dejaron el monte y entraron en El Toboso. Estaba el pueblo en un sosegado silencio, porque todos sus vecinos dormían. No se oía en todo el lugar sino ladridos de perros.

"Sancho, hijo, —dijo Don Quijote— guía al palacio de Dulcinea; quizá podrá ser que la hallemos despierta."

"¿A qué palacio tengo de guiar, —respondió Sancho— que en el que yo vi a su Grandeza no era sino una casa muy pequeña?"

Sancho went away to make the necessary preparations for their expedition. During those three days, Don Quixote and Sancho provided themselves with what they considered necessary; and Sancho having pacified his wife, and Don Quixote, his niece and housekeeper, at nightfall, unseen by anyone but the bachelor, who thought fit to accompany them half a league out of the village, they set out for El Toboso, Don Quixote on his good Rocinante and Sancho, on his old ass.

Chapter III

# WHEREIN IS RELATED WHAT BEFELL DON QUIXOTE ON HIS WAY TO SEE HIS LADY DULCINEA DEL TOBOSO

The moment Sansón took his departure to return to the village, Rocinante began to neigh and the donkey, to break wind, which, by both knight and squire, it was accepted as a good sign and a very happy omen.

"Sancho, my friend, —said Don Quixote— night is drawing on upon us as we go, and more darkly than will allow us to reach El Toboso by daylight, for there I am resolved to go before I engage in another adventure in order to obtain the blessing of the peerless Dulcinea."

On the stroke of midnight, more or less, Don Quixote and Sancho quitted the wood and entered El Toboso. The town was in deep silence, for all the inhabitants were asleep. All over the place nothing was to be heard except the barking of dogs.

"Sancho, my son, —said Don Quixote— lead on to the palace of Dulcinea; it may be that we shall find her awake."

"What palace am I to lead to, —replied Sancho— when what I saw her Highness in was only a very little house?"

"Debía de estar retirada, entonces, a alguna pequeña estancia de su palacio, —dijo Don Quijote— solazándose a solas con sus doncellas, como es uso y costumbre de las altas señoras y princesas."

"Señor, —dijo Sancho— ya que vuestra merced quiere, a pesar mío, que sea alcázar la casa de mi señora Dulcinea, ¿es hora ésta por ventura de hallar la puerta abierta? Y ¿será bien que demos aldabonazos para que nos oigan y nos abran, metiendo en alboroto y rumor a toda la casa?"

"Hallemos primero de todo el palacio, —replicó Don Quijote— que entonces yo te diré, Sancho, lo que será bien que hagamos. ¡Mira, Sancho, que o yo veo poco, o aquel bulto grande y sombra que desde aquí se descubre debe de ser el palacio de Dulcinea!"

"Pues guíe vuestra merced" —dijo Sancho.

Guió Don Quijote, y habiendo andado como doscientos pasos, dio con el bulto que hacía la sombra. Era una gran torre, pero el tal edificio no era un palacio, sino la iglesia principal del pueblo.

"Con la iglesia hemos topado, Sancho" —dijo Don Quijote.

"Ya lo veo —respondió Sancho—. Y plega a Dios que no demos con nuestra sepultura; que no es buena señal andar por los cementerios a tales horas, y más habiendo yo dicho a vuestra merced, si mal no me acuerdo, que la casa de esta señora ha de estar en una callejuela sin salida."

"¡Maldito seas de Dios, mentecato! —dijo Don Quijote—. ¿Adónde has oído tú que los castillos y palacios reales estén edificados en callejuelas sin salida?"

"Señor, —respondió Sancho— en cada tierra su uso: quizá se usa aquí en El Toboso edificar en callejuelas los palacios y edificios grandes."

"Habla con respeto, Sancho, de las cosas de mi señora, —dijo Don Quijote— y tengamos la fiesta en paz."

"Then most likely she had then withdrawn into some small apartment of her palace, —said Don Quixote— to amuse herself with her maids, as great ladies and princesses are accustomed to do."

"Sir, —said Sancho— if your worship will have it, in spite of me, that the house of my lady Dulcinea is a palace, is this an hour, think you, to find the door open? And will it be right for us to go knocking till they hear us and open the door, making a disturbance and confusion all through the household?"

"Let us first of all find out the palace for certain, —replied Don Quixote— and then I will tell you, Sancho, what we had best do. Look, Sancho, for either I see badly, or that dark mass that one sees from here must be Dulcinea's palace!"

"Then let your worship lead the way" —said Sancho.

Don Quixote took the lead, and having gone a matter of two hundred paces, he came upon the mass that produced the shade. It was a great tower, but the building in question was no palace, but the chief church of the village.

"It's the church we have come upon, Sancho" —said Don Quixote.

"So I see —replied Sancho—. And God grant we may not come upon our graves; it is no good sign to find oneself wandering in a graveyard at this time of night, and that, after my telling your worship, if I don't mistake, that the house of this lady will be in an alley without an outlet."

"Be damned to you, you blockhead! —said Don Quixote—. Where have you ever heard of castles and royal palaces being built in alleys without an outlet?"

"Sir, —replied Sancho— every country has a way of its own: perhaps here in El Toboso it is the way to build palaces and grand buildings in alleys."

"Speak respectfully of what belongs to my lady, Sancho, —said Don Quixote— and let us keep the feast in peace."

"Yo me reportaré, —dijo Sancho— pero ¿con qué paciencia podré llevar que quiera vuestra merced que de sola una vez que vi la casa de nuestra ama, haya de saber siempre dónde está y hallarla a media noche, no hallándola vuestra merced, que la debe de haber visto millares de veces?"

"¡Tú me harás desesperar, Sancho! —exclamó Don Quijote—. Ven acá, hereje: ¿no te he dicho mil veces que nunca en mi vida he visto a la sin par Dulcinea, ni jamás atravesé los umbrales de su palacio, y que sólo estoy enamorado de oídas y de la gran fama que tiene de hermosa y discreta?"

"Ahora lo oigo, —respondió Sancho— y digo que pues vuestra merced no la ha visto nunca, ni yo tampoco..."

"Eso no puede ser, —dijo Don Quijote— que, por lo menos, ya me has dicho tú que la viste aventando trigo, cuando me trajiste la respuesta de la carta que le envié contigo."

"No se atenga a eso, señor —respondió Sancho—; porque le hago saber que también fue de oídas la vista y la respuesta que le traje, porque así sé yo quién es la señora Dulcinea como dar un puño en el cielo."

Estando los dos en estas pláticas, vieron que se acercaba un labrador, que habría madrugado antes del día a ir a su labranza.

"¿Me podéis decir, buen amigo, —le preguntó Don Quijote— dónde están por aquí los palacios de la sin par princesa Dulcinea del Toboso?"

"Señor, —respondió el mozo— yo soy forastero, y hace pocos días que estoy en el pueblo, sirviendo a un labrador rico en la labranza del campo. En esa casa de enfrente vive el cura del pueblo, que le sabrá dar a vuestra merced razón de esa señora princesa, aunque para mí tengo que aquí no vive princesa alguna; muchas señoras, sí, y principales, que cada una en su casa puede ser princesa."

"Pues entre ésas debe de estar, amigo, ésta por quien te pregunto" —dijo Don Quijote.

"I'll hold my tongue, —said Sancho— but how am I to take it patiently when your worship wants me, with only once seeing the house of our mistress, to know always where it is, and find it in the middle of the night, when your worship can't find it, who must have seen it thousands of times?"

"You will drive me to desperation, Sancho! —exclaimed Don Quixote—. Look here, heretic: have I not told you a thousand times that I have never once in my life seen the peerless Dulcinea or crossed the threshold of her palace, and that I am only enamoured of her by hearsay and because of the great reputation she bears for beauty and wisdom?"

"I hear it now, —returned Sancho— and I may tell you that if you have never seen her, neither have I..."

"That cannot be, —said Don Quixote— for, at any rate, you said, on bringing back the answer to the letter I sent to her by you, that you saw her winnowing wheat."

"Don't mind that, sir —answered Sancho—; I must tell you that my seeing her and the answer I brought you back were by hearsay too, for I can no more tell who the lady Dulcinea is than I can hit the sky."

While the two were engaged in this conversation, there approached a labourer, who had got up before daybreak to go to his work.

"Can you tell me, worthy friend, —Don Quixote asked him— whereabouts here are the palaces of the peerless princess Dulcinea del Toboso?"

"Sir, —replied the lad— I am a stranger, and I have been only a few days in the village, doing farm work for a rich farmer. In that house opposite there lives the curate of the village, who will be able to give your worship some account of that lady princess, though it is my belief there is not a princess living here; there are many ladies, and fine ones, and in her own house each of them may be a princess."

"Well, then, my friend, among them will be the one I am asking for" —said Don Quixote.

"Podría ser —respondió el mozo—. Y, quedad con Dios, que ya viene el alba." Y sin atender a más preguntas, fustigó a las mulas.

"Señor, —dijo Sancho a su amo— ya se viene a más andar el día y no será acertado dejar que nos halle el sol en la calle; mejor será que nos salgamos fuera de la ciudad, y que vuestra merced se embosque en alguna floresta aquí cercana, y yo volveré de día y buscaré la casa, castillo o palacio de mi señora, y hallándolo, hablaré con su excelencia, y le diré dónde y cómo queda vuestra merced esperando a que le dé orden y traza para verla, sin menoscabo de su honra y fama."

"Sancho, —dijo Don Quijote— has dicho mil sentencias encerradas en el círculo de breves palabras: el consejo que ahora me has dado lo agradezco y recibo de bonísima gana."

CAPÍTULO IV

## DONDE SE CUENTA LA INDUSTRIA QUE SANCHO TUVO PARA ENCANTAR A LA SEÑORA DULCINEA, Y DE OTROS SUCESOS TAN RIDÍCULOS COMO VERDADEROS

Cuando Don Quijote se emboscó en la floresta, encinar, o bosque junto a El Toboso, mandó a Sancho volver al pueblo, y que no volviese a su presencia sin haber primero hablado de su parte a su señora. Apenas hubo salido Sancho del bosque, se apeó del jumento, y sentándose al pie de un árbol, comenzó a hablar consigo mismo, diciendo:

"Sepamos ahora, Sancho hermano, adónde va vuestra merced. ¿Va a buscar algún jumento que se le haya perdido? No, por cierto. Pues ¿qué va a buscar? Voy a buscar, como quien no dice nada, a una princesa, y en ella, al sol de la hermosura y a todo el cielo junto. Y ¿dónde pensáis hallar eso que decís, Sancho? ¿Dónde? En la gran ciudad de El Toboso. ...

"May be so —replied the lad—. And, God be with you, for here comes the daylight." And without waiting for any more of his questions, he whipped on his mules.

"Sir, —said Sancho to his master— daylight will be here before long, and it will not do for us to let the sun find us in the street; it will be better for us to quit the city, and for your worship to hide in some forest in the neighbourhood, and I will come back in the daytime and search for the house, castle or palace of my lady, and as soon as I have found it, I will speak to her grace, and tell her where and how your worship is waiting for her to arrange some plan for you to see her without any damage to her honour and reputation."

"Sancho, —said Don Quixote— you have delivered a thousand sentences condensed in the compass of a few words: I thank you for the advice you have given me and take it most gladly."

CHAPTER IV

# WHEREIN IS RELATED THE CRAFTY DEVICE SANCHO ADOPTED TO ENCHANT THE LADY DULCINEA, AND OTHER INCIDENTS AS LUDICROUS AS THEY ARE TRUE

When Don Quixote had ensconced himself in the forest, oak grove, or wood near El Toboso, he ordered Sancho to return to the village, and not come into his presence again without having first spoken on his behalf to his lady. As soon as Sancho had got out of the thicket, he dismounted from his ass, and seating himself at the foot of a tree began to commune with himself, saying:

"Now, brother Sancho, let us know where your worship is going. Are you going to look for some ass that has been lost? Not at all. Then what are you going to look for? I am going to look for a princess, that's all, and in her, for the sun of beauty and the whole heaven at once. And where do you expect to find all this, Sancho? Where? Why, in the great city of El Toboso. ...

Y bien, y ¿de parte de quién la vais a buscar? De parte del famoso caballero Don Quijote de La Mancha, que deshace agravios, da de comer al que tiene sed y de beber al que tiene hambre. Todo eso está muy bien. Y ¿conocéis su casa, Sancho? Mi amo dice que ha de ser un palacio real o un soberbio castillo. Y ¿la habéis visto algún día por ventura? Ni yo ni mi amo la hemos visto jamás. Y ¿os parece que fuera acertado y bien hecho que si los de El Toboso supiesen que estáis vos aquí con intención de ir a molestar a sus princesas, viniesen y os moliesen las costillas a puros palos, y no os dejasen hueso sano? —¡El diablo, el diablo me ha metido a mí en esto, que otro no!"

Este soliloquio llevaba consigo Sancho, cuando vio que de El Toboso hacia adonde él estaba, venían tres labradoras sobre tres asnos. En cuanto Sancho las vio, tuvo una idea y regresó a toda prisa a buscar a su señor.

"¿Qué hay, Sancho, amigo?" —preguntó Don Quijote.

"¡Vuestra merced —respondió Sancho todo alborozado— no tiene más que picar a Rocinante y salir al raso a ver a la señora Dulcinea, que, con otras dos doncellas suyas, viene a ver a vuestra merced!"

"¡Santo Dios! ¿Qué es lo que dices, Sancho, amigo? —exclamó Don Quijote—. Mira que no me engañes, ni quieras con falsas alegrías alegrar mis verdaderas tristezas."

"¿Qué sacaría yo con engañar a vuestra merced? —respondió Sancho—. Venga, señor, y verá venir a la princesa nuestra ama vestida y adornada —en fin, como quien ella es. Sus doncellas y ella todas son una ascua de oro, todas mazorcas de perlas, todas son diamantes, todas rubíes, todas telas de brocado; los cabellos, sueltos por las espaldas, que son otros tantos rayos del sol que andan jugando con el viento; y sobre todo, vienen a caballo sobre tres yeguas, que no hay más que ver."

Habían salido ya del bosque, y descubrieron cerca a las tres aldeanas. Don Quijote tendió los ojos por todo el camino de El Toboso, y como no vio sino a las tres labradoras, se extrañó mucho, y preguntó a Sancho si las había dejado fuera de la ciudad.

Well, and for whom are you going to look for her? For the famous knight Don Quixote de La Mancha, who rights wrongs, gives food to those who thirst and drink to the hungry. That's all very well, but do you know her house, Sancho? My master says it will be some royal palace or grand castle. And have you ever seen her by any chance? Neither I nor my master ever saw her. And does it strike you that it would be just and right if the El Toboso people, finding out that you were here with the intention of going to trouble their princesses, were to come and cudgel your ribs, and not leave a whole bone in you? — The devil, the devil and nobody else, has mixed me up in this business!"

Such was the soliloquy Sancho held with himself, when he saw, coming from El Toboso towards the spot where he stood, three peasant girls on three asses. The instant Sancho saw then, he had an idea and returned full speed to seek his master.

"What news, Sancho, my friend?" —asked Don Quixote.

"Your worship —replied Sancho in great excitement— has only to spur Rocinante and get out into the open field to see the lady Dulcinea, who, with two others, damsels of hers, is coming to see your worship!"

"Holy God! What are you saying, Sancho, my friend? —exclaimed Don Quixote—. Take care you are not deceiving me, or seeking by false joy to cheer my real sadness."

"What could I get by deceiving your worship? —returned Sancho—. Come, sir, and you will see the princess our mistress coming, robed and adorned —in fact, like what she is. Her damsels and she are all one glow of gold, all bunches of pearls, all diamonds, all rubies, all cloth of brocade; with their hair loose on their shoulders like so many sunbeams playing with the wind; and moreover, they come mounted on three mares, the finest sight ever you saw."

They had already cleared the wood, and saw the three village lasses close at hand. Don Quixote looked all along the road to El Toboso, and as he could see nobody but the three peasant girls, he was completely puzzled, and asked Sancho if it was outside the city he had left them.

"¿Cómo fuera de la ciudad? —respondió Sancho—. ¿Por ventura tiene vuestra merced los ojos en el cogote, que no ve que son éstas, las que aquí vienen, resplandecientes como el mismo sol de mediodía?"

"Yo no veo, Sancho, —dijo Don Quijote— sino a tres labradoras sobre tres borricos."

"¡Ahora me libre Dios del diablo! —exclamó Sancho—. Y ¿es posible que tres yeguas blancas como la nieve le parezcan a vuestra merced borricos? ¡Vive el Señor, que me pele estas barbas si tal fuese verdad!"

"Pues yo te digo, Sancho, amigo mío, —dijo Don Quijote—, que es tan verdad que son borricos, o borricas, como yo soy Don Quijote de La Mancha y tú, Sancho Panza; a lo menos, a mí tales me parecen."

"Calle, señor —dijo Sancho—; no diga eso; despabile esos ojos, y venga a hacer una reverencia a la señora de sus pensamientos, que ya llega cerca."

Diciendo esto, Sancho se adelantó a recibir a las tres aldeanas, y apeándose del burro, agarró del cabestro al jumento de una de las tres labradoras, e hincando ambas rodillas en el suelo, dijo:

"Reina y princesa y duquesa de la hermosura, vuestra altivez y grandeza sea servida de recibir con su gracia y buen talante al cautivo caballero vuestro, que allí está hecho piedra mármol, todo turbado y sin pulso de verse ante vuestra magnífica presencia. Yo soy Sancho Panza, su escudero, y él es Don Quijote de La Mancha."

A esta sazón ya se había puesto Don Quijote de hinojos junto a Sancho, y miraba con ojos desencajados y vista turbada a la que Sancho llamaba reina y señora, y como no descubriera en ella sino una moza aldeana, y no de muy buen rostro, porque era carirredonda y chata, estaba suspenso y admirado, sin osar despegar los labios. Las labradoras estaban asimismo atónitas. Rompiendo el silencio la detenida, toda malhumorada dijo:

"How outside the city? —returned Sancho—. Are your worship's eyes in the back of your head, that you can't see that they are these, who are coming here, shining like the very sun at noonday?"

"I see nothing, Sancho, —said Don Quixote— but three country girls on three jackasses."

"Now, may God deliver me from the devil! —exclaimed Sancho—. And can it be that your worship takes three mares as white as snow for jackasses? By the Lord, I could tear my beard if that was the case!"

"Well, I can only say, Sancho, my friend, —said Don Quixote— that it is as plain they are jackasses, or jennyasses, as that I am Don Quixote de la Mancha, and you, Sancho Panza; at any rate, they seem to me to be so."

"Hush, sir —said Sancho—; don't talk that way; open your eyes, and come and pay your respects to the lady of your thoughts, who is close upon us now."

With these words Sancho advanced to receive the three village lasses, and dismounting from his donkey, caught hold of one of the asses of the three country girls by the halter, and dropping on both knees on the ground, he said:

"Queen and princess and duchess of beauty, may it please your haughtiness and greatness to receive into your favour and good-will your captive knight, who stands there turned into marble stone, and quite stupefied and benumbed at finding himself in your magnificent presence. I am Sancho Panza, his squire, and he is Don Quixote de La Mancha."

Don Quixote had by this time placed himself on his knees beside Sancho, and, with eyes starting out of his head and a puzzled gaze, was regarding her whom Sancho called queen and lady, and as he could see nothing in her but a village lass, and not a very well-favoured one, for she was round-faced and snub-nosed, he was perplexed and bewildered, and did not venture to open his lips. The country girls, at the same time, were astonished. However, the girl who had been stopped, breaking silence, said testily:

"¡Apártense del camino! ¡Déjennos pasar, que vamos deprisa!"

"¡Oh princesa y señora universal de El Toboso! —exclamó Sancho—. ¿Cómo vuestro magnánimo corazón no se enternece viendo arrodillado ante vuestra sublimada presencia a la columna y sustento de la andante caballería?"

"¡Cómo! ¡Jo, que te *estrego*, burra de mi suegro! —exclamó la otra muchacha—. ¡Mirad con qué se vienen los señoritos ahora, a hacer burla de las aldeanas, como si aquí no supiésemos echar pullas como ellos! ¡Vayan por su camino, y déjennos hacer el nuestro, y serles ha sano!"

"Levántate, Sancho" —dijo a este punto Don Quijote. Y dirigiéndose a Dulcinea:

"Y tú, ¡oh extremo de la perfección que puede desearse! Ya que el encantador que me persigue ha transformado tu hermosura y tu rostro en los de una pobre campesina, si el mío no lo ha convertido en el de algún vestiglo para hacerlo aborrecible a tus ojos, no dejes de mirarme tierna y amorosamente, observando, con este arrodillamiento que hago ante tu contrahecha hermosura, la humildad con la que mi alma te adora."

"¡Tomá que mi agüelo! —gritó la aldeana—. ¡Amiguita soy yo de oír resquebrajos! ¡Apártense y déjennos pasar!"

Y picando a su asno con un aguijón que en un palo traía, dio a correr por el prado adelante. Y como la borrica sentía la punta del aguijón, que le fatigaba más de lo ordinario, comenzó a dar corcovos, de manera que dio con Dulcinea en tierra. Don Quijote acudió a levantarla y Sancho, a componer y cinchar la albarda. Don Quijote quiso levantar a su encantada señora en los brazos sobre el asno, pero la señora, levantándose del suelo, le quitó de aquel trabajo, porque haciéndose algún tanto atrás, tomó carrerilla, y puestas ambas manos sobre las ancas de la burra, dio con su cuerpo, más ligero que un halcón, sobre la albarda, y quedó a horcajadas, como si fuera un hombre, a lo que exclamó Sancho:

"Get out of the way! Let us pass, for we are in a hurry!"

"Oh, princess and universal lady of El Toboso! —exclaimed Sancho—. Is not your magnanimous heart softened by seeing the pillar and prop of knight-errantry on his knees before your sublimated presence?"

"Woa then! Why, I'm rubbing you down, she-ass of my father-in-law! —exclaimed the other girl—. See how the lordlings come to make game of the village girls now, as if we here could not chaff as well as themselves! Go your own way, and let us go ours, and it will be better for you!"

"Get up, Sancho" —said Don Quixote at this. And addressing Dulcinea:

"And you, highest perfection of excellence that can be desired! Though the enchanter that persecutes me has transformed your beauty and your features into those of a poor peasant girl, if he has not changed mine into those of some monster to render them loathsome in your sight, do not refuse to look upon me with tenderness and love, seeing, in this submission that I make on my knees to your transformed beauty, the humility with which my soul adores you."

"Hey-day! My grandfather! —cried the girl—. Much I care for your lovemaking! Get out of the way and let us pass!"

And prodding her ass with a spike she had at the end of a stick, she set off at full speed across the field. The she-ass, however, feeling the point more acutely than usual, began cutting such capers, that it flung Dulcinea to the ground. Don Quixote ran to raise her up and Sancho, to fix and girth the pack-saddle. Don Quixote was about to lift up his enchanted mistress in his arms and put her upon her beast, but the lady, getting up from the ground, saved him the trouble, for going back a little, she took a short run, and putting both hands on the croup of the ass, she dropped into the saddle more lightly than a falcon, and sat astride, like a man, whereat Sancho exclaimed:

"¡Vive Roque! ¡La señora nuestra ama podría enseñar a montar al más diestro cordobés o mejicano! El arzón trasero de la silla pasó de un salto, y sin espuelas hace correr la yegua como una cebra; y no le van en zaga sus doncellas, que todas corren como el viento."

Don Quijote las siguió con los ojos, y cuando las perdió de vista, volviéndose a Sancho, le dijo:

"¿Qué te parece, Sancho, cuán malquisto soy de encantadores? No se contentaron estos traidores de haber transformado a mi Dulcinea, sino que la convirtieron en una figura tan baja y tan fea como la de aquella aldeana, y a la vez le quitaron lo que es tan suyo de las principales señoras, que es el buen olor, por andar siempre entre ámbares y flores. Porque te hago saber, Sancho, que cuando llegué a subir a Dulcinea sobre su yegua, —según tú dices, que a mí me pareció borrica— me dio un olor de ajos crudos, que me encalabrinó y atosigó el alma."

"¡Oh canalla! —gritó a esta sazón Sancho— ¡Oh encantadores aciagos y malintencionados! ¡Quién os viera a todos ensartados por las agallas, como sardinas en lercha!"

Harto tenía que hacer el socarrón de Sancho en disimular la risa, oyendo las sandeces de su amo, tan delicadamente engañado. Finalmente, después de otras muchas razones que entre los dos pasaron, volvieron a subir en sus bestias, y siguieron el camino de Zaragoza. Pero antes que allá llegasen, les sucedieron cosas que, por muchas, grandes y nuevas, merecen ser escritas y leídas, como se verá adelante.

"By Roque! Our lady might teach the cleverest Cordovan or Mexican how to mount! She cleared the back of the saddle in one jump, and without spurs she is making the mare go like a zebra; and her damsels are no way behind her, for they all fly like the wind."

Don Quixote followed them with his eyes, and when they were no longer in sight, he turned to Sancho and said:

"How now, Sancho? You see how I am hated by enchanters! These traitors were not content with transforming my Dulcinea, but they changed her into a shape as mean and ill-favoured as that of the village girl yonder, and at the same time they robbed her of that which is such a peculiar property of ladies of distinction, that is to say, the sweet fragrance that comes of being always among perfumes and flowers. For I must tell you, Sancho, that when I approached to put Dulcinea upon her mare, —as you say it was, though to me it appeared a she-ass— she gave me a whiff of raw garlic, that made my head reel and poisoned my very heart."

"O scum of the earth! —cried Sancho at this— O miserable, spiteful enchanters! O that I could see you all strung by the gills, like sardines on a twig!"

Sancho, the rogue, had enough to do to hide his laughter, at hearing the simplicity of the master he had so nicely befooled. At length, after a good deal more conversation had passed between them, they remounted their beasts, and followed the road to Zaragoza. But before they got there things happened to them, so many, so important, and so strange, that they deserve to be recorded and read, as will be seen farther on.

# DE LO QUE SUCEDIÓ A DON QUIJOTE CON UN DISCRETO CABALLERO DE LA MANCHA

Seguía Don Quijote su jornada, y decía entre sí que si él hallara arte, modo o manera como desencantar a su señora Dulcinea, no envidiara a la mayor ventura que alcanzó, o pudo alcanzar, el más venturoso caballero andante de los pasados siglos. En estas imaginaciones iba todo ocupado, cuando los alcanzó un hombre montado en una yegua, y vestido con un gabán de paño fino verde. El caminante los saludó cortésmente, y picando a la yegua, se pasaba de largo, pero Don Quijote le dijo:

"Señor, si es que vuestra merced lleva el mismo camino que nosotros, merced recibiría en que nos fuésemos juntos."

Detuvo la rienda el caminante, admirado de la apostura y rostro de Don Quijote, que iba sin la celada, que la llevaba Sancho como maleta en el arzón delantero de la albarda del burro. Y si mucho miraba el de lo verde a Don Quijote, mucho más miraba Don Quijote al de lo verde, pareciéndole hombre de chapa. La edad mostraba ser de cincuenta años; las canas, pocas, y el rostro, aguileño; la vista, entre alegre y grave; finalmente, en el traje y en el avío daba a entender ser hombre de buenas prendas. El hombre se quedó mirando a Don Quijote; le admiraba la longitud de su cabello, la grandeza de su cuerpo, la flaqueza y amarillez de su rostro, su armadura, su porte y compostura. Notó bien Don Quijote la atención con que el caminante le miraba, y dijo:

"Soy un caballero de aquellos que dicen las gentes que a sus aventuras van. Quise resucitar la ya muerta caballería andante, y ha muchos días que, tropezando aquí, cayendo allí, despeñándome acá y levantándome otra vez, he cumplido gran parte de mi propósito, socorriendo viudas, amparando doncellas y favoreciendo casadas y huérfanos —el propio y natural oficio de caballeros andantes—; ...

## CHAPTER V

# OF WHAT BEFELL DON QUIXOTE WITH A DISCREET GENTLEMAN OF LA MANCHA

Don Quixote pursued his journey, and he said to himself that could he discover any means, mode or way of disenchanting his lady Dulcinea, he would not envy the highest fortune that the most fortunate knight-errant of yore ever reached, or could reach. He was going along entirely absorbed in these fancies, when they were overtaken by a man mounted on a mare, and dressed in a coat of fine green cloth. The traveller saluted them courteously, and spurring his mare, was passing them without stopping, but Don Quixote called out to him:

"Sir, if so be your worship is going our road, it would be a pleasure to me if we were to join company."

The traveller drew rein, amazed at the trim and features of Don Quixote, who rode without his helmet, which Sancho carried like a valise in front of his donkey's pack-saddle. And if the man in green examined Don Quixote closely, still more closely did Don Quixote examine the man in green, who struck him as being a man of intelligence. In appearance he was about fifty years of age, with but few grey hairs, an aquiline cast of features, and an expression between grave and gay; his dress and accoutrements showed him to be a man of good condition. The man stared at Don Quixote; he marvelled at the length of his hair, his lofty stature, the lankness and sallowness of his countenance, his armour, his bearing and his gravity. Don Quixote saw very plainly the attention with which the traveller was looking at him, and said:

"I am one of those knights who, as people say, go seeking adventures. My desire was to bring to life again knight-errantry, now dead, and for some time past, stumbling here, falling there, now coming down headlong, now raising myself up again, I have carried out a great portion of my design, succouring widows, protecting maidens and giving aid to wives and orphans —the proper and natural duty of knights-errant—; ...

y así, por mis valerosas, muchas y cristianas hazañas he merecido andar ya en imprenta en casi todas o las más naciones del mundo. Treinta mil volúmenes se han impreso de mi historia, y llevan camino de imprimirse muchos más, si el cielo no lo remedia. Finalmente, por encerrarlo todo en breves palabras, o en una sola, digo que yo soy Don Quijote de La Mancha, por otro nombre llamado el *Caballero de la Triste Figura.*"

Don Quijote le rogó entonces que le dijese quién era.

"Yo soy un hidalgo, —respondió el del verde gabán— natural de un lugar adonde iremos a comer hoy, si Dios quiere. Soy más que medianamente rico; mi nombre es Don Diego de Miranda. Paso la vida con mi mujer, mis hijos y mis amigos; mis pasatiempos son el de la caza y pesca; tengo hasta seis docenas de libros. Alguna vez como con mis vecinos y amigos, y muchas veces los convido; ni gusto de murmurar, ni consiento que delante de mí se murmure; no escudriño las vidas ajenas; oigo Misa cada día; reparto de mis bienes con los pobres; soy devoto de Nuestra Señora, y confío siempre en la misericordia infinita de Dios, Nuestro Señor."

Atentísimo estuvo Sancho a la relación de la vida y entretenimientos del hidalgo; y pareciéndole buena y santa, y que quien la hacía debía hacer milagros, se arrojó del asno y, con gran prisa, le fue a asir del estribo derecho, y con devoto corazón y casi lágrimas le besó el pie una y muchas veces.

"¿Qué hacéis, hermano? —preguntó el hidalgo—. ¿Qué besos son éstos?"

"Déjeme besar, —respondió Sancho— porque me parece vuestra merced el primer santo a la jineta que he visto en todos los días de mi vida."

"No soy santo, —dijo el hidalgo— sino gran pecador; vos sí, hermano, que debéis de ser bueno, como vuestra simplicidad lo muestra."

Don Quijote le preguntó cuántos hijos tenía.

and therefore, because of my many valiant and Christian achievements, I have been already found worthy to appear in print in all, or most, of the nations of the earth. Thirty thousand volumes of my history have been printed, and it is on the high-road to be printed many more, if heaven does not put a stop to it. In short, to sum up all in a few words, or in a single one, I may tell you I am Don Quixote de La Mancha, otherwise called *The Knight of the Sad Countenance*."

Then Don Quixote begged him to tell him who he was.

"I am a gentleman by birth, —replied he in the green coat— native of the village where, please God, we are going to dine today. I am more than fairly well off; my name is Don Diego de Miranda. I pass my life with my wife, my children and my friends; my pursuits are hunting and fishing; I have six dozen or so of books. Sometimes I dine with my neighbours and friends, and often invite them; I have no taste for tattle, nor do I allow tattling in my presence; I do not pry into my neighbours' lives; I hear Mass every day; I share my substance with the poor; I am the devoted servant of Our Lady, and my trust is ever in the infinite mercy of God, Our Lord."

Sancho listened with the greatest attention to the account of the gentleman's life and occupation; and thinking it a good and a holy life, and that he who led it ought to work miracles, he threw himself off his ass and, running in haste, seized his right stirrup and kissed his foot again and again with a devout heart and almost with tears.

"What are you about, brother? —asked the gentleman—. What are these kisses for?"

"Let me kiss, —replied Sancho— for I think your worship is the first saint in the saddle I ever saw all the days of my life."

"I am no saint, —said the gentleman— but a great sinner; but you are, brother, for you must be a good fellow, as your simplicity shows."

Don Quixote asked him how many children he had.

"Tengo un hijo, —respondió el hidalgo— que, a no tenerle, quizá me juzgara por más dichoso de lo que soy, y no porque él sea malo, sino porque no es tan bueno como yo quisiera. Tiene dieciocho años. Ha estado seis años en Salamanca, aprendiendo latín y griego, y cuando quise que pasase a estudiar otras ciencias, halléle tan embebido en la de la Poesía —si es que se puede llamar ciencia— que no es posible hacerle arrostrar la de las Leyes, que yo quisiera que estudiara, ni de la reina de todas, la Teología."

"Los hijos, señor, —respondió Don Quijote— son pedazos de las entrañas de sus padres, y así, se han de querer, por buenos o malos que sean, como se quieren las almas que nos dan vida; a los padres toca el encaminarlos desde pequeños por los pasos de la virtud para que cuando mayores, sean báculo de la vejez de sus padres y gloria de su posteridad; y en lo de forzarles a que estudien esta o aquella ciencia, no lo tengo por acertado, aunque el persuadirles no será dañoso; y cuando no se ha de estudiar para *pane lucrando*, siendo tan venturoso el estudiante, que le dio el cielo padres que se lo dejen, sería yo de parecer que le dejen seguir aquella ciencia a que más le vieren inclinado. La Poesía es menos útil que deleitable, pero no es de aquellas ciencias que suelen deshonrar a quien las posee. Señor hidalgo, que vuestra merced deje caminar a su hijo por donde su estrella le llama, que siendo él tan buen estudiante como debe de ser, y habiendo ya subido felizmente el primer escalón de las ciencias, que es el de las lenguas, con su ayuda, por sí mismo, subirá a la cumbre de las Letras."

Admirado quedó el del verde gabán del razonamiento de Don Quijote. Mientras, Sancho se había desviado del camino a pedir un poco de leche a unos pastores, que allí cerca estaban ordeñando unas ovejas.

En esto Don Quijote, cuando alzando la cabeza, vio que por el camino por donde ellos iban venía un carro lleno de banderas reales; y creyendo que debía de ser alguna nueva aventura, a grandes voces llamó a Sancho que viniese a darle la celada. El del verde gabán, que esto oyó, tendió la vista por todas partes, y no descubrió otra cosa que un carro, que debía de traer moneda de su Majestad. Así se lo dijo a Don Quijote, pero él no le dio crédito, siempre creyendo y pensando que todo lo que le sucediese habían de ser aventuras y más aventuras.

"I have one son, —answered the gentleman— without whom, perhaps, I should count myself happier than I am, not because he is a bad son, but because he is not so good as I could wish. He is eighteen years old. He has been at Salamanca for six years, studying Latin and Greek, and when I wished him to turn to the study of other sciences, I found him so wrapped up in that of Poetry —if that can be called a science— that there is no getting him to take kindly to the Law, which I wished him to study, or to Theology, the queen of them all."

"Children, sir, —said Don Quixote in reply— are portions of their parents' bowels, and therefore, be they good or bad, are to be loved, as we love the souls that give us life; it is for the parents to guide them from infancy in the ways of virtue so that when grown up, they may be the staff of their parents' old age and the glory of their posterity; and as to force them to study this or that science, I do not think it wise, though it may be no harm to persuade them; and when there is no need for them to study to earn their bread, and it is the student's good fortune that heaven has given him parents who provide him with it, it would be my advice to them to let him pursue whatever science they may see him most inclined to. Poetry is less useful than pleasurable, but it is not one of those sciences that bring discredit upon the possessor. Gentle sir, let your son go on as his star leads him, for being so studious as he seems to be, and having already successfully surmounted the first step of the sciences, which is that of the languages, with their help he will, by his own exertions, reach the summit of Literature."

He of the green coat was filled with astonishment at Don Quixote's argument. Meanwhile, Sancho had turned aside out of the road to beg a little milk from some shepherds, who were milking their ewes nearby.

Then Don Quixote, raising his head, perceived a cart covered with royal flags coming along the road they were travelling; and persuaded that that must be some new adventure, he called aloud to Sancho to come and bring him his helmet. He of the green coat, on hearing this, looked in all directions, and could perceive nothing but a cart, which must be carrying treasure of the King's. He said so to Don Quixote, but he would not believe him, being always persuaded and convinced that all that happened to him must be adventures and still more adventures.

## CAPÍTULO VI

# DE DONDE SE DECLARÓ EL ÚLTIMO PUNTO Y EXTREMO ADONDE LLEGÓ Y PUDO LLEGAR EL INAUDITO ÁNIMO DE DON QUIJOTE, CON LA FELIZMENTE ACABADA AVENTURA DE LOS LEONES

Cuenta la historia que Sancho, acosado de la mucha prisa de tenía su amo, no supo qué hacer con los requesones que acababa de comprar, ni en qué traerlos; y tuvo una idea: echarlos en la celada de su señor.

"Dame la celada, Sancho, —dijo Don Quijote— que o yo sé poco de aventuras, o aquí nos llega una bien buena."

Sancho, como no tuvo tiempo de sacar los requesones, tuvo que dársela como estaba. Don Quijote la cogió y a toda prisa se la encajó en la cabeza. Los requesones se apretaron y exprimieron, y el suero le comenzó a correr por todo el rostro y barbas.

"¿Qué es esto, Sancho? —exclamó Don Quijote—. ¡Que me parece que se me derriten los sesos, o que sudo de los pies a la cabeza! Y si es que sudo, en verdad que no es de miedo. Dame, si tienes, con que me limpie, que este copioso sudor me ciega los ojos."

Sancho se calló, le dio un trapo, y con él, gracias a Dios de que su señor no hubiese caído en el caso.

En esto había llegado ya el carro de las banderas; el carretero, montado en una mula, y un hombre, sentado en la delantera. Don Quijote se puso delante y dijo:

"¿Adónde vais, hermanos? ¿Qué carro es éste? ¿Qué lleváis en él? ¿Qué banderas son ésas?"

# CHAPTER VI

## WHEREIN IS SHOWN THE FURTHEST AND HIGHEST POINT WHICH THE UNEXAMPLED COURAGE OF DON QUIXOTE REACHED OR COULD REACH, TOGETHER WITH THE HAPPILY ACHIEVED ADVENTURE OF THE LIONS

The history tells that Sancho, flurried by the great haste his master was in, did not know what to do with the curds he has just bought, or what to carry them in; and he had an idea: to throw them into his master's helmet.

"Give me the helmet, Sancho, —said Don Quixote— for either I know little of adventures, or here comes a good one to us."

Sancho, as he had no time to take out the curds, had to give it just as it was. Don Quixote took it and thrust it down in hot haste upon his head. The curds were pressed and squeezed, and the whey began to run all over his face and beard.

"Sancho, what's this? —exclaimed Don Quixote—. I think my brains are melting, or I am sweating from head to foot! If I am sweating, it is not indeed from fear. Give me something to wipe myself with, if you have it, for this profuse sweat is blinding me."

Sancho held his tongue, gave him a cloth, and gave thanks to God at the same time that his master had not found out what was the matter.

By this time the cart with the flags had come up; the carter, mounted on a mule, and a man, sitting in front. Don Quixote planted himself before it and said:

"Where are you going, brothers? What cart is this? What have you got in it? What flags are those?"

"El carro es mío —respondió el carretero—. Lo que va en él son dos bravos leones enjaulados, que el general de Orán envía a la Corte como presente para su Majestad; las banderas son del Rey, nuestro señor, en señal que aquí va cosa suya."

"Y ¿son grandes los leones?" —preguntó Don Quijote.

"Tan grandes —respondió el otro hombre, que iba sentado a la puerta del carro— que no han pasado mayores, ni tan grandes, de Africa a España jamás. Son macho y hembra; yo soy el leonero; el macho va en esta jaula primera, y la hembra, en la de atrás; ahora van hambrientos porque no han comido hoy; y así, vuestra merced se desvíe, que es menester llegar presto adonde les demos de comer."

A lo que exclamó Don Quijote, sonriéndose un poco:

"¡Leoncitos a mí! ¡A mí leoncitos, y a tales horas! ¡Pues han de ver esos señores que los envían si soy yo hombre que se espanta de leones! Apeaos, buen hombre; abrid las jaulas y echadme esas bestias fuera, que en mitad de esta campiña, les daré a conocer quién es Don Quijote de La Mancha."

En esto Sancho se acercó al hidalgo, y le dijo:

"Señor, ¡por Dios! Haga algo vuestra merced para que mi señor no se enfrente a esos leones, que aquí nos van a hacer pedazos a todos."

"Pues ¿tan loco es vuestro amo?" —preguntó el hidalgo.

"No es loco —respondió Sancho— sino atrevido."

"Yo haré que no lo sea" —replicó el hidalgo. Y llegándose a Don Quijote, que estaba dando prisa al leonero para que abriese las jaulas, le dijo:

"The cart is mine —replied the carter—. What is in it is a pair of wild caged lions, which the governor of Oran is sending to Court as a present to his Majesty; the flags are our lord the King's to show that what is here is his property."

"And are the lions large?" —asked Don Quixote.

"So large, —replied the other man, who sat at the door of the cart— that larger, or as large, have never crossed from Africa to Spain. They are male and female; I am the keeper; the male is in this first cage, and the female, in the one behind; they are hungry now, for they have eaten nothing today; so let your worship stand aside, for we must make haste to the place where we are to feed them."

Hereupon, smiling slightly, Don Quixote exclaimed:

"Lion-whelps to me! To me whelps of lions, and at such a time! Then, those gentlemen who send them here will see if I am a man to be frightened by lions! Get down, my good fellow; open the cages and turn me out those beasts, for in the midst of this plain, I will let them know who Don Quixote de La Mancha is."

At this instant Sancho came up to the gentleman, and said to him:

"Sir, for God's sake! Do something to keep my master from tackling those lions, for they'll tear us all to pieces here."

"Is your master then so mad?" —asked the gentleman.

"He is not mad —said Sancho— but he is venturesome."

"I will prevent it," —replied the gentleman. And going over to Don Quixote, who was insisting upon the keeper's opening the cages, he said to him:

"Señor caballero, los caballeros andantes han de acometer las aventuras que prometen esperanza de salir bien de ellas, y no aquellas que de en todo la quitan; porque la valentía que entra en la jurisdicción de la temeridad más tiene de locura que de fortaleza. Cuanto más que esos leones no vienen contra vuestra merced, ni sueñan con tal cosa. Son presentes de su Majestad, y no será bien detenerlos ni impedirles su viaje."

"Señor hidalgo, —respondió Don Quijote— deje a cada uno hacer su oficio. Este es el mío, y yo sé si vienen a mí, o no, estos señores leones."

Y volviéndose al leonero, exclamó:

"¡Voto a tal, don bellaco, que si no abrís enseguida las jaulas, que con esta lanza os he de coser al carro!"

El carretero, que vio la determinación de aquella aparición con armadura, le dijo:

"Señor, por caridad, dejadme desuncir las mulas y ponedme a salvo con ellas."

"¡Oh hombre de poca fe! —respondió Don Quijote—. Apéate y haz lo que quisieres; que presto verás que trabajaste en vano, y que te pudieras haber ahorrado esta diligencia."

Apeóse el carretero y desunció a gran prisa, mientras todos procuraban apartarse del carro lo más que pudiesen.

Mientras, estuvo considerando Don Quijote si no sería mejor hacer la batalla antes a pie que a caballo. Al final se determinó por hacerla a pie, temiendo que Rocinante se espantase a la vista de los leones. Por esto saltó del caballo, arrojó la lanza a un lado y embrazó el escudo, y desenvainando la espada, con maravilloso denuedo y corazón valiente, se fue a poner delante del carro, encomendándose a Dios de todo corazón y a su señora Dulcinea.

"Sir knight, knights-errant should attempt adventures which encourage the hope of a successful issue, not those which entirely withhold it; for valour that trenches upon temerity savours rather of madness than of courage. Moreover, those lions do not come to oppose you, nor do they dream of such a thing. They are going as presents to his Majesty, and it will not be right to stop them or delay their journey."

"Gentle sir, —replied Don Quixote— leave everyone to manage his own business. This is mine, and I know whether these gentlemen the lions come to me or not."

And then turning to the keeper, he exclaimed:

"By all that's good, sir scoundrel, if you don't open the cages this very instant, I'll pin you to the cart with this lance!"

The carter, seeing the determination of that apparition in armour, said to him:

"Sir, for charity's sake, let me unyoke the mules and place myself in safety along with them."

"O man of little faith! —replied Don Quixote—. Get down and do what you want; you will soon see that you are exerting yourself for nothing, and that you might have spared yourself the trouble."

The carter got down and with all speed unyoked the mules, all striving to get away from the cart as far as they could.

Meanwhile, Don Quixote was considering whether it would not be better to do battle on foot instead of on horseback. Finally he resolved to fight on foot, fearing that Rocinante might take fright at the sight of the lions. He therefore sprang off his horse, flung his lance aside, braced his shield on his arm, and drawing his sword, advanced slowly with marvellous intrepidity and resolute courage, to plant himself in front of the cart, commending himself with all his heart to God and to his lady Dulcinea.

El leonero abrió de par en par las puertas de la primera jaula. El león, lo primero que hizo fue revolverse en la jaula; sacó las garras y se desperezó todo; abrió luego la boca y bostezó muy despacio, y con casi dos palmos de lengua que sacó fuera, se desempolvó los ojos y se lavó la cara. Luego sacó la cabeza fuera de la jaula y miró a todas partes con los ojos hechos brasas —vista y además para poner espanto a la misma temeridad. Don Quijote lo miraba atentamente, deseando que saltase ya del carro.

Pero el noble león, no haciendo caso de niñerías ni de bravatas, miró a una y otra parte, volvió la espalda y presentó sus cuartos traseros a Don Quijote, y con gran flema y remanso se volvió a echar en la jaula. Don Quijote mandó al leonero que le diese con un palo.

"¡Eso no lo haré yo! —exclamó el leonero—. Vuestra merced se contente con lo hecho, y no quiera tentar a la suerte. El león tiene abierta la puerta; en su mano está salir o no salir; pero pues no ha salido hasta ahora, no saldrá en todo el día. La gran valentía de vuestra merced está ya bien declarada; ningún bravo peleante está obligado a más que a desafiar a su enemigo y esperarle en campaña; y si el contrario no acude, el esperante gana la corona de la victoria."

"Es verdad —dijo Don Quijote—. Cierra, amigo, la puerta, y dame por testimonio, en la mejor forma que pudieres, lo que aquí me has visto hacer."

Entonces Don Quijote, poniendo en la punta de la lanza el trapo con que se había limpiado la cara de la lluvia de los requesones, comenzó a llamar a los demás. Todos volvieron al carro. Y Don Quijote dijo al carretero:

"Volved, hermano, a uncir vuestras mulas y a proseguir vuestro viaje; y tú Sancho, dale dos escudos de oro para él y el leonero en recompensa de lo que por mí se han detenido."

"De muy buena gana —dijo Sancho—. Pero ¿qué ha pasado con los leones? ¿Están muertos o vivos?"

The keeper flung open the doors of the first cage. The first thing the lion did was to turn round in the cage; he protruded his claws and stretched himself thoroughly; he next opened his mouth and yawned very leisurely, and with near two palms' length of tongue that he had thrust forth, he licked the dust out of his eyes and washed his face. Then he put his head out of the cage and looked all round with eyes like glowing coals —a spectacle and demeanour to strike terror into temerity itself. Don Quixote observed him steadily, longing for him to leap from the cart.

But the noble lion, not troubling himself about silly bravado, looked all round, turned about and presented his hind-quarters to Don Quixote, and very coolly and tranquilly lay down again in the cage. Don Quixote ordered the keeper to hit him with a stick.

"That I won't! —exclaimed the keeper—. Be satisfied with what you have done, and do not seek to tempt fortune a second time. The lion has the door open; he is free to come out or not to come out; but as he has not come out so far, he will not come out today. Your worship's great courage has been fully manifested already; no brave champion is bound to do more than challenge his enemy and wait for him on the field; if his adversary does not come, he who waits for him carries off the crown of victory."

"That is true —said Don Quixote—. Close the door, my friend, and let me have, in the best form you can, what you have seen me do, by way of certificate."

Then Don Quixote, fixing on the point of his lance the cloth he had wiped his face with after the deluge of curds, proceeded to recall the others. They all returned to the cart. And Don Quixote said to the carter:

"Put your mules to once more, brother, and continue your journey; and you, Sancho, give him two gold crowns for himself and the keeper to compensate for the delay they have incurred through me."

"With all my heart —said Sancho—. But what has become of the lions? Are they dead or alive?"

Entonces el leonero contó con todo detalle el fin de la contienda, exagerando como mejor pudo y supo, el valor de Don Quijote.

"¿Qué te parece esto, Sancho? —dijo Don Quijote—. ¿Hay encantamientos que valgan contra la verdadera valentía?

El leonero prometió a Don Quijote contar aquella valerosa hazaña al mismo rey.

"Y si acaso su Majestad preguntare quién hizo esta hazaña, le diréis que *el Caballero de los Leones*" —dijo Don Quijote.

Siguió su camino el carro, y Don Quijote, Sancho y el del verde gabán prosiguieron el suyo. En todo este tiempo, no había hablado palabra Don Diego de Miranda, todo atento a mirar y a notar los hechos y palabras de Don Quijote, pareciéndole que era un cuerdo loco y un loco que tiraba a cuerdo. Y dijo:

"Démonos prisa, que se hace tarde, y lleguemos a mi casa, donde descansará vuestra merced del pesado trabajo."

"Tengo el ofrecimiento a gran favor y merced, Don Diego" — respondió Don Quijote.

Serían como las dos de la tarde cuando llegaron a la casa de Don Diego, a quien Don Quijote llamaba *el Caballero del Verde Gabán*.

Then the keeper described in full detail the end of the contest, exalting, to the best of his power and ability, the valour of Don Quixote.

"What do you think of this, Sancho? —said Don Quixote—. Are there any enchantments that can prevail against true valour?"

The keeper promised Don Quixote to give an account of the valiant exploit to the king himself.

"And if his Majesty should happen to ask who performed this deed, you must say *The Knight of The Lions*" —said Don Quixote.

The cart went its way, and Don Quixote, Sancho and he of the green coat went theirs. All this time, Don Diego de Miranda had not spoken a word, being entirely taken up with observing and noting all that Don Quixote did and said, and the opinion he formed was that he was a man of brains gone mad, and a madman on the verge of rationality. And said:

"Let us make haste, for it is getting late, and reach my house, where you shall take a rest after your exertions."

"I take the invitation as a great favour and honour, Don Diego" —replied Don Quixote.

At about two in the afternoon they reached Don Diego's house, or, as Don Quixote called him, *The Knight of the Green Coat*.

# DE LAS ADMIRABLES COSAS QUE EL EXTREMADO DON QUIJOTE CONTÓ QUE HABÍA VISTO EN LA PROFUNDA CUEVA DE MONTESINOS

Cuatro días estuvo Don Quijote regaladísimo en la casa de Don Diego, al cabo de los cuales le pidió licencia para irse, diciéndole que le agradecía la merced y hospitalidad que en su casa había recibido, pero que los caballeros andantes no debían darse muchas horas al ocio y al regalo; se quería ir a cumplir con su oficio de buscar aventuras hasta que llegase el día de las justas de Zaragoza. Y que primero, quería explorar la Cueva de Montesinos.

Don Diego y su hijo le alabaron su honrosa determinación, y le dijeron que tomase de su casa y de su hacienda todo lo que en grado le viniese. Llegó, en fin, el día de su partida, tan alegre para Don Quijote como triste y aciago para Sancho Panza, que se hallaba muy bien con la abundancia de la casa de Don Diego. Se reiteraron los ofrecimientos y comedimientos, y con la buena licencia de la señora del castillo, se fueron.

Poco trecho se había alejado Don Quijote de la aldea de Don Diego, cuando se encontró con dos estudiantes y con dos labradores que sobre cuatro bestias asnales venían caballeros. Don Quijote les saludó, y después de saber el camino que llevaban, que era el mismo que él hacía, les ofreció su compañía, y en breves razones les dijo quién era y la profesión que tenía. Todo esto para los labradores era hablarles en griego o en jerigonza, pero no para los estudiantes, que muy pronto entendieron la flaqueza del cerebro de Don Quijote; pero, con todo eso, le miraban con admiración y con respecto, y uno de ellos le dijo:

"Si vuestra merced no lleva camino determinado, véngase con nosotros; verá una de las mejores y más ricas bodas que hasta el día de hoy se han celebrado en La Mancha."

Le preguntó Don Quijote si la boda era de algún príncipe.

# OF THE WONDERFUL THINGS THE INCOMPARABLE DON QUIXOTE SAID HE SAW IN THE PROFOUND CAVE OF MONTESINOS

For four days Don Quixote was most sumptuously entertained in Don Diego's house, at the end of which time he asked his permission to depart, telling him he thanked him for the kindness and hospitality he had received in his house, but that knights-errant must not give themselves up for long to idleness and luxury; he was anxious to fulfil the duties of his calling in seeking adventures until the day came round for the jousts at Zaragoza. And that, first of all, he meant to explore the Cave of Montesinos.

Don Diego and his son commended his laudable resolution, and bade him furnish himself with all he wanted from their house and belongings. The day of his departure came at length, as welcome to Don Quixote as it was sad and sorrowful to Sancho Panza, who was very well satisfied with the abundance of Don Diego's house. There was a renewal of offers of service and civilities, and then, with the gracious permission of the lady of the castle, they took their departure.

Don Quixote had gone but a short distance beyond Don Diego's village, when he fell in with a couple of students and a couple of peasants, mounted on four beasts of the ass kind. Don Quixote saluted them, and after ascertaining that their road was the same as his, made them an offer of his company, and he told them in a few words who he was and the profession he followed. All this was Greek or gibberish to the peasants, but not so to the students, who very soon perceived the crack in Don Quixote's pate; for all that, however, they regarded him with admiration and respect, and one of them said to him:

"If you have no fixed road, let your worship come with us; you will see one of the finest and richest wedding that up to this day have ever been celebrated in La Mancha."

Don Quixote asked him if it was some prince's wedding.

"En absoluto; —respondió el estudiante— sino de dos jóvenes: él, el labrador más rico de toda esta tierra, y ella, hija de un labrador, la más hermosa que han visto los hombres. El alarde con que se ha de hacer es extraordinario, porque se celebrará en un prado que está junto al pueblo de la novia. Ella tiene dieciocho años, y él, veintidós."

Don Quijote y Sancho Panza estuvieron tres días con los recién casados, por quienes fueron regalados y servidos a cuerpo de rey. Pidió Don Quijote al cura que le buscase un guía que le encaminase a la Cueva de Montesinos. El cura le dijo que tenía un primo, famoso estudiante y muy aficionado a leer libros de caballerías, el cual con mucho gusto le conduciría a la boca de la misma cueva.

Finalmente, el primo vino con una pollina preñada, cuya albarda cubría un gayado tapete o arpillera. Ensilló Sancho a Rocinante, aderezó al burro, y encomendándose a Dios y despidiéndose de todos, se pusieron en camino.

En el camino preguntó Don Quijote al primo de qué género eran su profesión y sus estudios. El respondió que era de profesión humanista y que componía libros para dar a la imprenta, todos de gran provecho y no menos entretenimiento para la república.

En estas y otras gustosas pláticas se les pasó aquel día, y a la noche se albergaron en una pequeña aldea —desde allí a la Cueva de Montesinos no había más de dos leguas. Compraron casi cien brazas de soga, y al otro día a las dos de la tarde llegaron a la cueva. Se apearon el primo, Sancho y Don Quijote, al cual los dos le ataron luego fortísimamente con las sogas; y en tanto que le fajaban y ceñían, le dijo Sancho:

"Mire vuestra merced, señor mío, lo que hace; no se quiera sepultar en vida. Sí, que a vuestra merced no le toca ni atañe ser el escudriñador de esta cueva, que debe de ser peor que una mazmorra."

"Not at all; —replied the student— it is the wedding of two youths: he, the richest farmer in all this country, and she, a farmer's daughter, the fairest mortal ever set eyes on. The display with which it is to be attended will be something out of the common, for it will be celebrated in a meadow adjoining the village of the bride, She is eighteen, and he is twenty-two."

Don Quixote y Sancho Panza remained three days with the newly married couple, by whom they were entertained and treated like kings. Don Quixote begged the curate to find him a guide to show him the way to the Cave of Montesinos. The curate said he had a cousin, a famous scholar and one very much given to reading books of chivalry, who would have great pleasure in conducting him to the mouth of the very cave.

The cousin arrived at last, leading an ass in foal, with a pack-saddle covered with a parti-coloured carpet or sackcloth. Sancho saddled Rocinante, got his ass ready, and so, commending themselves to God and bidding farewell to all, they set out.

On the way Don Quixote asked the cousin of what sort his pursuits and studies were. He replied that he was by profession a humanist and that he made books for the press, all of great utility and no less entertainment to the nation.

In this and other pleasant conversation the day went by, and that night they put up at a small hamlet —two leagues away from the Cave of Montesinos. They bought about a hundred fathoms of rope, and next day at two in the afternoon they arrived at the cave. The cousin, Sancho and Don Quixote dismounted, and the first two immediately tied the latter very firmly with the ropes; and as they were girding and swathing him, Sancho said to him:

"Mind what you are about, master mine; don't go burying yourself alive. It's no affair or business of your worship's to become the explorer of this cave, which must be worse than a dungeon."

"Atame y calla —dijo Don Quijote—. Inadvertidos hemos andado en no habernos proveído de algún esquilón pequeño que fuera atado a la soga —cuyo sonido diera a entender que todavía bajaba y estaba vivo; pero pues ya no es posible, a la mano de Dios, que me guíe."

Y luego se hincó de rodillas y rezó una oración en voz baja al cielo, y luego en voz alta exclamó:

"¡Oh señora de mis acciones y movimientos, clarísima y sin par Dulcinea del Toboso! Dame tu favor y amparo, ahora que tanto los he menester."

Con estas palabras se acercó a la sima, y dándole soga el primo y Sancho, se dejó calar al fondo de la espantosa caverna. Iba Don Quijote dando voces que le diesen soga y más soga, y ellos se la daban poco a poco, y cuando las voces dejaron de oírse, ya ellos tenían descolgadas las cien brazas de soga. Esperaron como media hora, y volvieron a recoger la soga. Y sacando a Don Quijote del todo, vieron que traía cerrados los ojos, con muestras de estar profundamente dormido. Le tendieron en el suelo y le desliaron, pero no se despertaba. Le revolvieron, sacudieron y menearon y al cabo de un buen espacio de tiempo, volvió en sí y mirando a una y otra parte, dijo:

"Dios os lo perdone, amigos, que me habéis quitado de la más sabrosa y agradable vida y vista que ningún humano disfrutó ni contempló."

El primo y Sancho le suplicaron que les dijese lo que en aquel infierno había visto.

"¿Infierno lo llamáis? —dijo Don Quijote—. Pues no lo llaméis así, porque no lo merece, como luego veréis."

Pidió que le diesen algo de comer, y sentados los tres en buen amor y compaña, merendaron y cenaron, todo junto.

"No se levante nadie, —dijo Don Quijote— y estadme, hijos, atentos los dos."

"Tie me and hold your tongue —said Don Quixote—. It was careless of us not to have provided ourselves with a small cattle-bell to be tied on the rope close to me —the sound of which would show that I was still descending and alive; but as that is out of the question now, in God's hand be it to guide me."

And forthwith he fell on his knees and in a low voice offered up a prayer to heaven, and then exclaimed aloud:

"O mistress of my actions and movements, illustrious and peerless Dulcinea del Toboso! Give me your favour and protection, now that I stand in such need of them."

With these words he approached the cavern, and the cousin and Sancho giving him rope, he lowered himself into the depths of the dread cavern. Don Quixote kept calling to them to give him rope and more rope, and they gave it out little by little, and by the time the calls ceased to be heard, they had let down the hundred fathoms of rope. They waited about half an hour, and began to gather in the rope again. And drawing Don Quixote out entirely, they perceived he had his eyes shut and every appearance of being fast asleep. They stretched him on the ground and untied him, but still he did not awake. They rolled him back and forwards, shook and pulled him about so that after some time, he came to himself and looking about him, he said:

"God forgive you, friends, for you have taken me away from the sweetest and most delightful existence and spectacle that ever human being enjoyed or beheld."

The cousin and Sancho begged of him to tell them what he had seen in that hell down there.

"Hell do you call it? —said Don Quixote—. Call it by no such name, for it does not deserve it, as you will soon see."

He then asked them to give him something to eat, and all three sitting down lovingly and sociably, they made a luncheon and a supper of it, all in one.

"Let no one rise, —said Don Quixote— and attend to me, my sons, both of you."

Las cuatro de la tarde serían cuando el sol, entre nubes cubierto, con luz escasa y templados rayos, dio lugar a Don Quijote para que, sin calor y pesadumbre, contase a sus dos clarísimos oyentes lo que en la Cueva de Montesinos había visto, y comenzó en el modo siguiente:

"A eso de doce o catorce estados de la profundidad de esa mazmorra, a mano derecha, se hace una concavidad o espacio capaz de poder caber en ella un gran carro con sus mulas; le entra una pequeña luz por unos resquicios o agujeros. Esta concavidad o espacio vi yo, y determiné entrarme en ella a descansar un poco. Se me ofreció luego a la vista un real y suntuoso palacio, cuyos muros y paredes parecían de transparente y claro cristal fabricados. Entonces se abrieron dos grandes puertas, y salió un venerable anciano. Se acercó a mí, y lo primero que hizo fue abrazarme estrechamente, y luego decirme:

"Luengos tiempos ha, valeroso caballero Don Quijote de La Mancha, que los que estamos en estas soledades encantados esperamos verte. Yo soy Montesinos, de quien la cueva toma el nombre."

"Montesinos —dijo Don Quijote— me condujo al interior del cristalino palacio hasta una sala donde había un sepulcro de mármol, sobre el cual vi a un caballero tendido de largo a largo, no de bronce ni de mármol, sino de pura carne y de puros huesos. Antes de que yo le preguntase nada, Montesinos, viéndome suspenso mirando al del sepulcro, me dijo:

"Este es mi amigo Durandarte, flor y espejo de los caballeros enamorados y valientes de su tiempo. Le tiene aquí encantado, como me tiene a mí y a otros muchos y muchas, Merlín, aquel francés encantador. El cómo o para qué nos encantó nadie lo sabe. Estamos aquí junto con la señora Belerma, Guadiana, el escudero de Don Durandarte, la dueña Ruidera y sus siete hijas, y otros muchos. Nos tiene aquí encantados el sabio Merlín ha muchos años; y aunque pasan de quinientos, no se ha muerto ninguno de nosotros. Solamente faltan Ruidera y sus hijas; Merlín las liberó pero las convirtió en otras tantas lagunas, que hasta ahora en la provincia de La Mancha, las llaman las Lagunas de Ruidera."

It was about four in the afternoon when the sun, veiled in clouds, with subdued light and tempered beams, enabled Don Quixote to relate, without heat or inconvenience, what he had seen in the Cave of Montesinos to his two illustrious hearers, and he began as follows:

"A matter of some twelve or fourteen times a man's height down in that pit, on the right-hand side, there is a recess or space, roomy enough to contain a large cart with its mules; a little light reaches it through some chinks or crevices. This recess or space I perceived, and I resolved to enter it and rest myself for a while. Next there presented itself to my sight a stately royal palace, with walls that seemed built of clear transparent crystal. Then two great doors opened wide, and a venerable old man came out. He approached me, and the first thing he did was to embrace me closely, and then he said to me:

"For a long time now, O valiant knight Don Quixote de La Mancha, we who are here enchanted in these solitudes have been hoping to see you. I am Montesinos, from whom the cave takes its name."

"Montesinos —said Don Quixote— led me into the palace of crystal up to a chamber where there was a marble tomb, upon which I beheld, stretched at full length, a knight, not of bronze or marble, but of actual flesh and bone. Before I could ask him any question, Montesinos, seeing me gazing at the tomb in amazement, said to me:

"This is my friend Durandarte, flower and mirror of the true lovers and valiant knights of his time. He is held enchanted here, as I myself and many others are, by that French enchanter Merlin. How or why he enchanted us, no one knows. We are here together with Lady Belerma, Guadiana, Don Durandarte's squire, Mistress Ruidera and her seven daughters, and many others. The sage Merlin has been keeping enchanted here these many years; and although more than five hundred have gone by, not one of us has died. Ruidera and her daughters alone are missing; Merlin set them free but changed into so many lakes, which to this day in the province of La Mancha, are called the Lakes of Ruidera."

"¡Oh Señor Durandarte! —dijo Merlín al caballero—. Unas nuevas os quiero dar ahora. Sabed que tenéis aquí en vuestra presencia a Don Quijote de La Mancha, por cuyo medio y favor todos nosotros seremos desencantados."

En este punto de la historia, dijo el primo del cura:

"No entiendo, señor Don Quijote, cómo vuestra merced en tan poco espacio de tiempo como ha que ha estado allá abajo, pudo haber visto tantas cosas, y hablado y respondido tanto."

"¿Cuánto hace que bajé?" —preguntó Don Quijote.

"Poco más de una hora" —respondió Sancho.

"Eso no puede ser, —replicó Don Quijote— porque a mi cuenta, he estado allí tres días."

"Verdad debe decir mi señor —dijo Sancho—; que como todas las cosas que le han sucedido son por encantamiento, quizá lo que a nosotros nos parece una hora debe de parecer allá tres días con sus noches."

"Así es —respondió Don Quijote—. Y ¿qué dirás cuando te diga que vi a Dulcinea? Iba por aquellos amenísimos campos saltando y brincando, acompañada por aquellas otras dos labradoras que estaban con ella en el camino de El Toboso. Montesinos me dijo que hacía pocos días que habían aparecido en aquellos prados; y que no me maravillase de esto, porque allí estaban otras muchas señoras de los pasados y presentes siglos, encantadas en diferentes y extrañas figuras. Montesinos me dijo además que, andando el tiempo, se me daría aviso cómo habían de ser desencantados él, Dulcinea, Belerma, Durandarte, y todos los que allí estaban."

"¡Oh santo Dios! —exclamó Sancho—. ¿Es posible que tal hay en el mundo, y que tengan en él tanta fuerza los encantadores y encantamientos, que hayan trocado el buen juicio de mi señor en una tan disparatada locura? ¡Ay señor, por amor de Dios, que vuestra merced no dé crédito a esas vaciedades que le tienen menguado y descabalado el sentido!"

O Sir Durandarte! —said Merlin to the knight—. I have now news to give you. Know that here is Don Quixote de La Mancha. by whose intervention and aid all of us will be disenchanted."

At this point of the story, the curate's cousin said:

"I cannot understand, Sir Don Quixote, how it is that your worship, in such a short space of time as you have been below there, could have seen so many things, and said and answered so much."

"How long is it since I went down?" —asked Don Quixote.

"Little better than an hour" —replied Sancho.

"That cannot be, —returned Don Quixote— because by my reckoning, I have been there for three days."

"My master must be right —said Sancho—; for as everything that has happened to him is by enchantment, maybe what seems to us an hour would seem three days and nights there."

"That's it —replied Don Quixote—. And what will you say when I tell you that I saw Dulcinea? She was skipping and capering over the pleasant fields there, accompanied by the other two those same country girls that were with her on the road from El Toboso. Montesinos told me that it was only a few days before that they had made their appearance in those meadows; but I was not to be surprised at that, because there were a great many other ladies there of times past and present, enchanted in various strange shapes. Montesinos told me, moreover, that in course of time, someone would let me know how he, Dulcinea, Belerma, Durandarte, and all who were there, were to be disenchanted."

"O blessed God! —exclaimed Sancho—. Is it possible that such things can be in the world, and that enchanters and enchantments can have such power in it as to have changed my master's right senses into a craze so full of absurdity? O sir, for God's sake, your worship must not give credit to this silly stuff that has left you scant and short of wits!"

"Como me quieres bien, Sancho, hablas de esa manera —dijo Don Quijote—. Pero andará el tiempo, y yo te contaré algunas de las cosas que allá abajo he visto, que te harán creer que las que ahora he contado son ciertas."

"Ahora, señor Don Quijote, —dijo el primo del cura— hemos de buscar adonde recogernos esta noche."

Pasaron la noche en una venta, y ya después de amanecido, el primo vino a despedirse de Don Quijote para volverse a su tierra. Sancho, por orden de su señor, le pagó muy bien al ventero, y despidiéndose de él, casi a las ocho del día, dejaron la venta y se pusieron en camino.

CAPÍTULO VIII

# DE LO QUE LE AVINO A DON QUIJOTE CON UNA BELLA CAZADORA

Al salir de un bosque, tendió Don Quijote la vista por un verde prado, y en lo último de él vio gente; eran cazadores de altanería. Se acercó más, y entre ellos vio una gallarda señora sobre un caballo blanquísimo. En la mano izquierda traía un azor, señal que dio a entender a Don Quijote ser aquella alguna gran señora, que debía de serlo de todos aquellos cazadores, como era la verdad; y así dijo a Sancho:

"Corre, Sancho, y di a aquella señora si me da licencia de ir a besarle la mano, y ponerme a su servicio."

Partió Sancho a la carrera; llegó adonde la bella cazadora estaba, y apeándose, se puso ante ella de hinojos, y dijo:

"Hermosa señora, aquel caballero de allí, llamado el *Caballero de los Leones*, es mi amo, y yo soy su escudero, a quien llaman en su casa Sancho Panza. Mi amo me envía a decir a vuestra grandeza sea servida de darle licencia para que, con su propósito, beneplácito y consentimiento, él venga a poner en obra sus deseos, que no son otros que servir a vuestra encumbrada altanería y hermosura."

"You talked in this way because you love me, Sancho —said Don Quixote—. But time will pass, and I will tell you some of the things I saw down there, which will make you believe what I have related now is true."

"Now, Sir Don Quixote, —said the curate's cousin— let us go and look for some place to shelter ourselves in tonight."

They spent the night at an inn, and soon after daybreak, the cousin came to bid Don Quixote farewell, for he returned home. Sancho, by his master's orders, paid the landlord very liberally, and taking leave of him, they quitted the inn at about eight in the morning and took to the road.

## Chapter VIII

# OF DON QUIXOTE'S ADVENTURE WITH A FAIR HUNTRESS

On coming out of a wood, Don Quixote cast his eyes over a green meadow, and at the far end of it observed some people; it was a hawking party. Coming closer, he distinguished among them a lady of graceful mien, on a pure white horse. On her left hand she bore a hawk, a proof to Don Quixote's mind that she must be some great lady and the mistress of the whole hunting party, which was the fact; so he said to Sancho:

"Run, Sancho, and ask that lady over there if I may go and kiss her hand, and place myself at her service."

Sancho went off at top speed; came to where the fair huntress was standing, and dismounting, knelt before her, and said:

"Fair lady, that knight over there, the *Knight of the Lions* by name, is my master, and I am his squire, and at home they call me Sancho Panza. My master sends by me to say may it please your highness to give him leave that, with your permission, approbation, and consent, he may come and carry out his wishes, which are no other than to serve your exalted loftiness and beauty."

"Levantaos del suelo, buen escudero, —dijo la señora— y decid a vuestro señor que venga en hora buena a servirse de mí y del duque, mi marido, en una casa de placer que aquí tenemos. Y decidme: este vuestro señor, ¿no es de quien anda impresa una historia que se llama de *El Ingenioso Hidalgo Don Quijote de La Mancha*?"

"El mismo es, señora —respondió Sancho—; y aquel escudero suyo que anda, o debe de andar, en la tal historia, a quien llaman Sancho Panza, soy yo."

"De todo esto me alegro mucho —dijo la duquesa—. Id a decid a vuestro señor que es bienvenido a mis estados."

En tanto que Don Quijote llegaba, la duquesa, haciendo llamar al duque, su marido, le contó todo; y los dos, por haber leído la primera parte de esta historia y haber entendido por ella la disparatada locura de Don Quijote, con grandísimo gusto y con deseo de conocerle, le esperaban, con intención de seguirle el humor y concederle cuanto les dijese, tratándole como a caballero andante los días que estuviese con ellos, con todas las ceremonias acostumbradas en los libros de caballerías que habían leído.

En esto llegó Don Quijote, alzada la visera. Dando muestras de apearse, Sancho se apresuró a sujetarle el estribo, pero con tan mal mala suerte que, al apearse del burro, se le enredó el pie en una soga de la albarda, y quedó colgado de ella, con la cara en el suelo. Don Quijote, pensando que Sancho le sujetaba el estribo, descargó el cuerpo de golpe, y él y la silla de montar, que sin duda estaba mal cinchada, vinieron al suelo —no sin vergüenza suya y de muchas maldiciones que entre dientes echó al desdichado de Sancho. El duque mandó a sus cazadores que acudiesen a ayudar al caballero y al escudero. Don Quijote, maltrecho de la caída y renqueando y como pudo, fue a hincarse de rodillas ante los dos señores. El duque no lo consintió en ninguna manera; antes, apeándose de su caballo, fue a abrazar a Don Quijote, diciéndole:

"Digo que venga el señor Don Quijote de La Mancha a un castillo mío que está aquí cerca, donde se le hará el acogimiento que a tan alta persona se debe justamente."

"Rise, good squire, —said the lady— and bid your master welcome to the services of myself and the duke, my husband, in a country house we have here. And tell me: this master of yours, is he not the one of whom there is a history extant in print, called *The Ingenious Gentleman Don Quixote de La Mancha?*"

"He is the same, my lady —replied Sancho—; and that squire of his who figures, or ought to figure, in the said history under the name of Sancho Panza, it's me."

"I am rejoiced at all this —said the duchess—. Go and tell your master that he is welcome to my estate."

While Don Quixote was approaching, the duchess, having sent to summon the duke, her husband, told him all about it; and as both of them had read the first part of this history, and from it were aware of Don Quixote's crazy turn, they awaited him with the greatest delight and anxiety to make his acquaintance, meaning to fall in with his humour and agree with everything he said, and, so long as he stayed with them, to treat him as a knight-errant, with all the ceremonies usual in the books of chivalry they had read.

Don Quixote now came up with his visor raised. As he seemed about to dismount, Sancho made haste to go and hold his stirrup for him, but in getting down off his donkey, was so unlucky as to hitch his foot in one of the ropes of the pack-saddle, and was left hanging by it, with his face on the ground. Don Quixote, thinking that Sancho was holding the stirrup for him, threw himself off with a lurch, and he and the saddle, which was no doubt badly girthed, both came to the ground —not without discomfiture to him and abundant curses muttered between his teeth against the unlucky Sancho. The duke ordered his huntsmen to go to the help of knight and squire. Don Quixote, sorely shaken by his fall and limping, advanced as best he could to kneel before the noble pair. This, however, the duke would by no means permit; on the contrary, dismounting from his horse, he went and embraced Don Quixote, saying:

"I say, let Sir Don Quixote de La Mancha come to a castle of mine close by, where he will be given that reception which is due to so exalted a personage."

## Capítulo IX

# QUE TRATA DE MUCHAS Y GRANDES COSAS

Cuenta, pues, la historia que antes de que llegasen al castillo, se adelantó el duque y dio orden a todos sus criados del modo que habían de tratar a Don Quijote. Este fue el primer día que de todo en todo Don Quijote conoció y creyó ser de verdad caballero andante.

A la hora de la cena, doce pajes le condujeron a una magnífica sala. La duquesa y el duque salieron a la puerta de la sala a recibirle, y con ellos un grave eclesiástico. Se intercambiaron mil corteses comedimientos, y finalmente, se fueron a sentar a la mesa. Convidó el duque a Don Quijote a la cabecera de la mesa, y aunque él lo rehusó, las importunaciones del duque fueron tantas que la hubo de tomar. El eclesiástico se sentó enfrente, y el duque y la duquesa, a los dos lados.

A todo estaba presente Sancho, embobado y atónito de ver la honra que a su señor le hacían; y viendo las muchas ceremonias y ruegos que pasaron entre el duque y Don Quijote para hacerle sentar a la cabecera de la mesa, dijo:

"Si sus mercedes me dan licencia, les contaré un cuento que pasó en mi pueblo acerca de esto de los asientos."

Don Quijote tembló, creyendo sin duda alguna que había de decir alguna necedad. Sancho le miró, y adivinándole el pensamiento, le dijo:

"No tema vuestra merced, señor mío, que no se me han olvidado los consejos que poco ha vuestra merced me dio sobre el hablar mucho o poco. Y el cuento que quiero decir es éste:

'Un hidalgo de mi pueblo, muy rico, convidó a un labrador pobre pero honrado. Es, pues, el caso que estando los dos para sentarse a la mesa, el labrador porfiaba con el hidalgo que tomase la cabecera de la mesa, ...

## CHAPTER IX

# WHICH TREATS OF MANY AND GREAT MATTERS

The history informs us, then, that before they reached the castle, the duke went on in advance and instructed all his servants how they were to treat Don Quixote. And this was the first time that Don Quixote thoroughly felt and believed himself to be a knight-errant in reality.

At dinner time, twelve pages led him to a fine room. The duchess and the duke came out to the door of the room to receive him, and with them a grave ecclesiastic. A vast number of polite speeches were exchanged, and at length, they proceeded to sit down to table. The duke pressed Don Quixote to take the head of the table, and though he refused, the entreaties of the duke were so urgent that he had to accept it. The ecclesiastic took his seat opposite to him, and the duke and duchess, those at the sides.

All this time Sancho stood by, gaping with amazement at the honour he saw shown to his master; and observing all the ceremonious pressing that had passed between the duke and Don Quixote to induce him to take his seat at the head of the table, he said:

"If your worship will give me leave, I will tell you a story of what happened in my village about this matter of seats."

Don Quixote trembled, making sure that he was about to say something foolish. Sancho glanced at him, and guessing his thoughts, said to him:

"Don't be afraid of my going astray, sir, for I haven't forgotten the advice your worship gave me just now about talking much or little. And the story I want to tell is this:

'A gentleman of my town, a very rich one, invited a poor but respectable labourer. Well then, it so happened that as the pair of them were going to sit down to table, the labourer insisted upon the gentleman's taking the head of the table, ...

y el hidalgo porfiaba también que el labrador la tomase, hasta que el hidalgo, perdiendo la paciencia, poniéndole ambas manos sobre los hombros, le hizo sentar a la fuerza, diciéndole: 'Sentaos, mentecato, que adondequiera que yo me siente, será vuestra cabecera.'

Este es el cuento, y en verdad que creo que no ha sido aquí traído fuera de propósito."

Don Quijote se puso de mil colores; y el duque y la duquesa, habiendo entendido la malicia de Sancho, mudaron de plática. Preguntó la duquesa a Don Quijote qué nuevas tenía de Dulcinea.

"Señora mía, —respondió Don Quijote— mis desgracias nunca tendrán fin, pues ahora Dulcinea está encantada y convertida en la más fea campesina que se puede imaginar."

"¿La habéis visto vos encantada, Sancho?" —preguntó el duque.

"Y ¡cómo si la he visto! —respondió Sancho—. Pues ¿quién diablos sino yo fue el primero que cayó en el asunto del encantamiento?"

"Por ventura, hermano, —dijo el eclesiástico a Sancho—¿sois vos aquel Sancho Panza que dicen en la primera parte, a quien vuestro amo tiene prometida una ínsula?"

"Sí, soy yo —respondió Sancho—; y soy quien se la merece tanto como otro cualquiera; y soy yo de los de *quien a buen árbol se arrima, buena sombra le cobija*. Yo me he arrimado a buen señor, y ha muchos meses que ando en su compañía, y he de ser otro como él, si Dios quiere; y viva él y viva yo, que ni a él le faltarán imperios que mandar, ni a mí, ínsulas que gobernar."

"No, por cierto, Sancho, amigo, —dijo el duque— pues yo, en nombre del señor Don Quijote, os mando el gobierno de una que tengo de nones, de no pequeña calidad."

"Híncate de rodillas, Sancho, —dijo Don Quijote— y besa los pies a su excelencia por la merced que te ha hecho." Sancho obedeció.

and the gentleman insisted upon the labourer's taking it, until the gentleman, out of patience, putting his hands on his shoulders, compelled him by force to sit down, saying: 'Sit down, you stupid lout, for wherever I sit, it will be the head to you.'

This is the story, and in truth, I think it hasn't been brought in amiss here."

Don Quixote turned all colours; and the duke and the duchess, seeing through Sancho's impertinence, changed the conversation. The duchess asked Don Quixote what news he had of Dulcinea.

"My lady, —replied Don Quixote— my misfortunes will never have an end, for now Dulcinea is enchanted and turned into the most ill-favoured peasant woman that can be imagined."

"Have you seen her enchanted, Sancho?" —asked the duke.

"What, seen her! —replied Sancho—. Why, who the devil was it but myself that first thought of the enchantment business?"

"Perhaps, brother, —said the ecclesiastic to Sancho— are you that Sancho Panza that is mentioned in the first part, to whom your master has promised an island?"

"Yes, I am —replied Sancho—; and what's more, I am one who deserves it as much as anyone; I am one of the sort, *who leans against a good tree, a good shade covers him.* I have leant upon a good master, and I have been for months going about with him, and please God I shall be just such another; long life to him and long life to me, for neither will he be in any want of empires to rule, or I, of islands to govern."

"No, certainly not, Sancho, my friend, —said the duke— for in the name of Sir Don Quixote, I confer upon you the government of one, of no small importance, that I have at my disposal."

"Go down on your knees, Sancho, —said Don Quixote— and kiss the feet of his excellence for the favour he has bestowed upon you." Sancho obeyed.

En estas y otras semejantes pláticas, la comida se acabó. Don Quijote se fue a reposar la siesta, y la duquesa pidió a Sancho que, si no tenía muchas ganas de dormir, viniese a pasar la tarde con ella y sus doncellas en una muy fresca sala. Sancho respondió que, aunque era verdad que tenía por costumbre dormir cuatro o cinco horas las siestas del verano, que, por servir a su excelencia, él vendría obediente a su mandado.

Cuenta, pues, la historia que Sancho no durmió aquella tarde, sino que por cumplir su palabra, fue a ver a la duquesa, la cual, con el gusto que tenía de oírle, le hizo sentar junto a ella en una silla baja. Sancho obedeció y se sentó, y todas las doncellas de la duquesa se sentaron alrededor.

"Ahora que estamos solos, —dijo la duquesa— y que aquí no nos oye nadie, querría yo que nuestro gobernador me resolviese cierta duda que tengo de la historia de Don Quijote, que anda ya impresa. Y es que pues el buen Sancho nunca vio a Dulcinea, ni le llevó la carta de Don Quijote, porque se quedó en el libro de memoria en Sierra Morena, ¿cómo se atrevió a fingir la respuesta, y aquello de que la halló aventando trigo, siendo todo mentira?"

A estas razones, Sancho se levantó de la silla, y con el dedo puesto sobre los labios, anduvo por toda la sala levantando los doseles; y luego, esto hecho, se volvió a sentar y dijo:

"Ahora, mi señora, que he visto que no nos escucha nadie, lo primero que digo es que, por mi parte, yo tengo a mi señor Don Quijote por un loco de remate; y por eso me atrevo a hacerle creer lo que no tiene ni pies ni cabeza, como fue aquello de la respuesta de la carta y lo de encantamiento de Dulcinea."

Le rogó la duquesa que se lo contase todo, y Sancho le contó toda la historia del mismo modo en que había ocurrido.

"Ahora —dijo la duquesa— dime, Sancho, ¿qué es esto que dices de la Cueva de Montesinos?"

With these and other discussions of the same sort, dinner came to an end. Don Quixote retired to take his midday sleep, and the duchess begged Sancho, unless he had a very great desire to go to sleep, to come and spend the afternoon with her and her damsels in a very cool chamber. Sancho replied that, though he certainly had the habit of sleeping four or five hours in the heat of the day in summer, to serve her excellence, he would come in obedience to her command.

The history records that Sancho did not sleep that afternoon, but in order to keep his word, he went to visit the duchess, who, finding enjoyment in listening to him, made him sit down beside her on a low seat. Sancho obeyed and sat down, and all the duchess's damsels gathered round him.

"Now that we are alone, —said the duchess— and that there is nobody here to overhear us, I should be glad if our governor would relieve me of certain doubt I have on the history of Don Quixote, that is now in print. It is: inasmuch as worthy Sancho never saw Dulcinea, nor took Don Quixote's letter to her, for it was left in the memorandum book in Sierra Morena, how did he dare to invent the answer and all that about finding her winnowing wheat, the whole story being a lie?"

At these words, Sancho got up from his chair, and with his finger on his lips, went all round the room lifting up the hangings; and this done, he came back to his seat and said:

"Now, my lady, that I have seen that there is no one listening to us, the first thing I have got to say is, that for my own part, I hold my master Don Quixote to be stark mad; and so I can venture to make him believe things that have neither head nor tail, like that affair of the answer to the letter and the affair of the enchantment of Dulcinea."

The duchess begged him to tell her all about it, and so Sancho told the whole story exactly as it had happened.

"Now —said the duchess— tell me, Sancho, what is this you say about the Cave of Montesinos?"

Sancho Panza le contó punto por punto lo que queda dicho acerca de la tal aventura. Oyendo lo cual, la duquesa le envió a reposar, y ella se fue a dar cuenta al duque de la conversación, y los dos planearon hacerles algunas burlas a Don Quijote y a Sancho Panza.

CAPÍTULO X

# QUE CUENTA LA NOTICIA QUE SE TUVO DE CÓMO SE HABÍA DE DESENCANTAR A LA SIN PAR DULCINEA DEL TOBOSO

El duque dio orden a sus criados de todo lo que habían de hacer, y de allí a seis días se llevaron a Don Quijote y a Sancho Panza a una montería. Se les pasó el día visitando los puestos y lugares de escondite; y entonces, cuando cayó la noche, de repente el bosque por todas cuatro partes pareció arder, y luego se oyeron por aquí y por allí, y por acá y por acullá, infinitas cornetas y otros instrumentos de guerra. La luz del fuego y el son de los instrumentos bélicos casi cegaron y atronaron los ojos y los oídos de los presentes. De repente, se hizo el silencio, y un mozo a caballo, disfrazado de demonio, se presentó ante ellos.

"¡Alto, hermano! —gritó el duque— ¿Quién sois? ¿Adónde vais?"

"Yo soy el Diablo —respondió el muchacho—. Busco a Don Quijote de La Mancha; la gente que por aquí viene son seis tropas de encantadores, que sobre un carro triunfante traen a la sin par Dulcinea del Toboso. Encantada viene con el gallardo francés Merlín, a dar orden a Don Quijote de cómo ha de ser desencantada la tal señora." Y en diciendo esto, tocó un desaforado cuerno y se fue.

Las cornetas, los cuernos, los clarines, las trompetas, los tambores, la artillería, los arcabuces, y sobre todo, el tremendo ruido de los carros, formaban todos juntos un son tan confuso y tan horrendo que fue menester que Don Quijote se valiese de toda su valentía para sufrirlo. De repente, cesó el ruido y se oyó el son de una suave y concertada música. Al compás de la agradable música vieron que hacia ellos venía un carro, de los que llaman triunfales, tirado por seis mulas pardas.

200

Sancho Panza related to her, word for word, what has been said already touching that adventure. And having heard it, the duchess dismissed him to sleep, and she went away to tell the duke the conversation, and they plotted to play some jokes upon Don Quixote and Sancho Panza.

CHAPTER X

# WHICH RELATES HOW THEY LEARNED THE WAY IN WHICH THEY WERE TO DISENCHANT THE PEERLESS DULCINEA DEL TOBOSO

The duke instructed his servants in everything they were to do, and six days afterwards they took Don Quixote and Sancho Panza out for a hunting. The day was spent in visiting some of the posts and hiding-places; and then, as night fell, suddenly the whole wood on all four sides seemed to be on fire, and shortly after, here, there, on all sides, a vast number of trumpets and other military instruments were heard. The blaze of the fire and the noise of the warlike instruments almost blinded the eyes and deafened the ears of those that stood by. Suddenly, silence fell upon them, and a lad on horseback, deguised as a demon, turned up.

"Ho there, brother! —cried the duke—. Who are you? Where are you going?"

"I am the Devil —replied the lad—. I am in search of Don Quixote de La Mancha; those who are coming this way are six troops of enchanters, who are bringing on a triumphal car the peerless Dulcinea del Toboso. She comes under enchantment, together with the gallant Frenchman Merlin, to give instructions to Don Quixote as to how, she the said lady, may be disenchanted." And so saying, he blew a huge horn and went off.

The bugles, the horns, the clarions, the trumpets, the drums, the cannon, the musketry, and above all, the tremendous noise of the carts, all made up together a din so confused and terrific that Don Quixote had need to summon up all his courage to brave it. Suddenly, the noise ceased and the sound of sweet, harmonious music was heard. They saw advancing towards them, to the sound of this pleasing music, what they call a triumphal car, drawn by six grey mules.

Y sobre él, una ninfa vestida con mil velos de tela de plata venía sentada en un trono. Traía el rostro cubierto con un transparente y delicado velo, a través del que se distinguían las hermosas facciones de una doncella. Junto a ella venía una figura vestida con una ropa de las que llaman rozagantes, hasta los pies, cubierta la cabeza con un velo negro. Al punto que llegó el carro a estar frente a frente de los duques y de Don Quijote, cesó la música. El hombre se levantó y quitándose el velo del rostro, descubrió patentemente ser la misma figura de la Muerte. Y con voz algo dormida y con lengua no muy despierta, comenzó a decir de esta manera:

*"Yo soy Merlín.*
*Vengo a dar el remedio que conviene*
*para que la sin par Dulcinea del Toboso*
*recobre su estado primo y belleza.*
*Es menester que Sancho Panza*
*Se dé tres mil trescientos azotes*
*En ambas sus valientes posaderas*
*al aire descubiertas.*
*Y a esto es mi venida, mis señores."*

"¡Voto a tal! —exclamó a esta sazón Sancho—. ¡Que el diablo se lleve tal manera de desencantar! ¡Por Dios que si el señor Merlín no ha hallado otro modo de desencantar a la señora Dulcinea del Toboso, encantada se puede ir a la sepultura!"

"¡Os voy a coger —exclamó Don Quijote— y os amarraré a un árbol, desnudo como vuestra madre os parió, y no digo yo tres mil trescientos, sino seis mil seiscientos azotes os daré!"

"No ha de ser así, —dijo Merlín oyendo esto— porque los azotes que ha de recibir el buen Sancho han de ser por su voluntad, y no por fuerza, pero está permitido que se los dé mano ajena."

"¡Ni ajena, ni propia! —replicó Sancho—. ¡A mí no me ha de tocar mano alguna que no sea la mía! ¿Parí yo por ventura a Dulcinea, para que paguen mis posas lo que pecaron sus ojos? Mi amo, que la llama a cada paso 'mi vida' y 'mi alma', se debería azotar por ella y hacer todas las diligencias necesarias para su desencanto. Pero ¿azotarme yo?"

And in it, a nymph draped in a multitude of silver-tissue veils was seated on a throne. She had her face covered with thin transparent veil, through which the fair features of a maiden were distinguished. Beside her there was a man in a robe of state, as they call it, reaching to the feet, while the head was covered with a black veil. The instant the car was opposite the duke and duchess and Don Quixote, the music ceased. The man rose up and removing the veil from his face, disclosed to their eyes the shape of Death itself. And in a sleepy voice and with a tongue hardly awake, held forth as follows:

*"I am Merlin.*
*Hither have I come*
*To show where lies the fitting remedy*
*For peerless Dulcinea del Toboso*
*to regain her pristine form and beauty.*
*It is needful that Sancho Panza will whip himself,*
*On his own sturdy buttocks bared to heaven,*
*Three thousand and three hundred lashes.*
*And this is, gentles, wherefore I have come."*

"By all that's good! —exclaimed Sancho at this—. The devil take such a way of disenchanting! By God, if sir Merlin has not found out some other way of disenchanting the lady Dulcinea del Toboso, she may go to her grave enchanted!"

"I'll take you —exclaimed Don Quixote— and tie you to a tree, as naked as when your mother brought you forth, and I'll give you, not to say three thousand three hundred, but six thousand six hundred lashes!"

"That will not do, —said Merlin on hearing this— for the lashes worthy Sancho has to receive must be given of his own free will and not by force, but it is permitted to let them be given by the hand of another."

"Not a hand! —replied Sancho—. My own or anybody else's will touch me! Was it I that gave birth to Dulcinea, that my backside is to pay for the sins of her eyes? My master, indeed, who is always calling her 'my life' and 'my soul,' should whip himself for her and take all the trouble required for her disenchantment. But for me to whip myself?"

Entonces se puso en pie la argentada ninfa y, quitándose el sutil velo del rostro, le descubrió tal, que a todos pareció extremadamente hermoso; y con un desenfado varonil y con una voz no muy adamada, hablando directamente con Sancho Panza, dijo:

"¡Tú, malaventurado escudero, corazón de alcornoque! Pon, ¡oh miserable y endurecido animal! Pon, digo, esos tus ojos de mochuelo espantadizo en las niñas de estos míos, comparados con rutilantes estrellas, y los verás llorar, haciendo surcos, carreras y sendas por los hermosos campos de mis mejillas. Pon en libertad la lisura de mis carnes, la mansedumbre de mi condición y la belleza de mi faz. Y si por mí no quieres ablandarte ni reducirte a algún razonable término, hazlo por ese pobre caballero, tu amo."

"¿Qué decís vos a esto, Sancho?" —preguntó la duquesa.

"Digo, señora, —respondió Sancho— que querría yo saber de esta señora, mi señora Dulcinea del Toboso, dónde aprendió el modo de rogar que tiene. Viene a pedirme que me abra las carnes a azotes, y llámame con una tira de malos nombres que el diablo los sufra."

"Pues en verdad, amigo Sancho, —dijo el duque— que si no os ablandáis más que una breva madura, que no habéis de empuñar el gobierno. ¡Bueno sería que yo enviase a mis insulanos un gobernador cruel que no se rinde ante las lágrimas de doncellas afligidas!"

"¡Ea, pues, a la mano de Dios! —dijo Sancho—. Acepto la penitencia con las condiciones apuntadas."

Apenas dijo estas últimas palabras Sancho, cuando volvió a sonar la música de las chirimías, y se volvieron a disparar infinitos arcabuces. Don Quijote se colgó del cuello de Sancho, dándole mil besos en la frente y en las mejillas. La duquesa y el duque dieron muestras de haber recibido grandísimo contento; el carro comenzó a caminar, y al pasar, la hermosa Dulcinea inclinó la cabeza a los duques e hizo una reverencia a Sancho.

Then the nymph in silver stood up and, removing the thin veil from her face, disclosed one that seemed to all something exceedingly beautiful; and with a masculine freedom from embarrassment and in a voice not very like a lady's, addressing Sancho directly, she said:

"You, wretched squire, heart of a cork tree! Turn, O miserable, hard-hearted animal! Turn, I say, those timorous owl's eyes of yours upon these of mine, which are compared to radiant stars, and you will see them weeping, tracing furrows, tracks and paths over the fair fields of my cheeks. Set free the softness of my flesh, the gentleness of my nature and the fairness of my face. And if you will not relent or come to reason for me, do so for the sake of that poor knight, your master."

"What say you to this, Sancho?" —asked the duchess.

"I say, my lady, —returned Sancho— that I'd like to know of this lady, my lady Dulcinea del Toboso, where she learnt this way she has of asking favours. She comes to ask me to score my flesh with lashes, and she calls me a string of foul names that the devil is welcome to."

"Well then, the fact is, friend Sancho, —said the duke— that unless you become softer than a ripe fig, you will not get hold of the government. It would be a nice thing for me to send my islanders a cruel governor who won't yield to the tears of afflicted damsels!"

"Well then, in God's hands be it! —said Sancho—. I accept the penance on the conditions laid down."

The instant Sancho uttered these last words, the music of the clarions struck up once more, and again a host of muskets were discharged. Don Quixote hung on Sancho's neck, kissing him again and again on the forehead and cheeks. The duchess and the duke expressed the greatest satisfaction; the car began to move on, and as it passed, the fair Dulcinea bowed to the duke and duchess and made a low curtsey to Sancho.

## Capítulo XI

# CÓMO SANCHO PANZA FUE LLEVADO AL GOBIERNO

Llevando adelante sus burlas, al día siguiente, el duque envió a Sancho con mucho acompañamiento a la aldea que para él había de ser su ínsula. Al despedirse de los duques, Sancho les besó las manos, y tomó la bendición de su señor —Don Quijote se la dio con lágrimas, y Sancho la recibió con pucheritos.

Cuéntase, pues, que apenas se hubo partido Sancho, cuando Don Quijote sintió su soledad. Después de cenar, se retiró en su aposento y se acostó en su lecho, donde le dejaremos por ahora, porque nos está llamando el gran Sancho Panza, que quiere dar principio a su famoso gobierno.

Digo, pues, que con todo su acompañamiento llegó Sancho a una aldea de hasta mil vecinos —una de las mejores que el duque tenía. Le dieron a entender que se llamaba la Insula Barataria. Al llegar a las puertas de la villa, que era cercada, salió el pueblo a recibirle; tocaron las campanas, y con mucha pompa le llevaron a la iglesia a dar gracias a Dios. Luego, con algunas ridículas ceremonias le entregaron las llaves de la ciudad, y le admitieron como perpetuo gobernador de la ínsula Barataria. Después, sacándole de la iglesia, le llevaron a la silla del juzgado, le sentaron en ella, y le presentaron muchos casos para juzgar. Todo esto lo anotaba el cronista del duque, el cual con gran deseo lo estaba esperando.

## Capítulo XII

# DEL TEMEROSO ESPANTO CENCERRIL Y GATUNO QUE RECIBIÓ DON QUIJOTE

La duquesa tramó con el duque hacerle una burla a Don Quijote que fuese más risueña que dañosa; y con mucho contento esperaban la noche.

## Chapter XI

# HOW SANCHO PANZA WAS CONDUCTED TO HIS GOVERNMENT

To carry on the joke, the following day, the duke despatched Sancho with a large following to the village that was to serve him for an island. On taking leave, Sancho kissed the hands of the duke and duchess and got his master's blessing —Don Quixote gave it to him with tears, and Sancho received it blubbering.

It is recorded, then, that as soon as Sancho had gone, Don Quixote felt his loneliness. After dinner, he retired to his chamber and stretched himself on his bed, where we will leave him for the present, as the great Sancho Panza, who is about to set up his famous government, now demands our attention.

To come to the point, then Sancho, with all his attendants, arrived at a village of some thousand inhabitants —one of the largest the duke possessed. They informed him that it was called the Island of Barataria. On reaching the gates of the town, which was a walled one, the municipality came forth to meet him; the bells rang out a peal, and with great pomp they conducted him to the church to give thanks to God. Then, with burlesque ceremonies, they presented him with the keys of the town, and acknowledged him as perpetual governor of the island of Barataria. Afterwards, leading him out of the church, they carried him to the judgment seat, seated him on it, and there he was presented a lot of cases to judge. All this, having been taken down by the chronicler of the duke, who was looking out for it with great eagerness.

## Chapter XII

# OF THE TERRIBLE BELL AND CAT FRIGHT THAT DON QUIXOTE GOT

The duchess plotted with the duke to play a trick on Don Quixote that should be amusing but harmless; and in high glee they waited for night.

Llegadas las once horas de la noche, halló Don Quijote una vihuela en su aposento; la templó lo mejor que pudo, abrió la ventana, y con voz ronquilla aunque entonada, cantó el siguiente romance, que él mismo aquel día había compuesto:

Dulcinea del Toboso
En el lienzo del alma
Tengo pintada de modo,
Que es imposible borrarla.

La fidelidad en los amantes
Es la cualidad más preciada,
Por la que el amor hace milagros,
Y a los cielos les levanta.

Aquí llegaba Don Quijote con su canción, cuando de improviso, desde encima de un corredor que estaba exactamente sobre su ventana, descolgaron una cuerda donde venían atados más de cien cencerros y un gran saco de gatos, que asimismo traían cencerros menores atados a las colas. Fue tan grande el ruido de los cencerros y el maullar de los gatos, que aunque los duques habían sido inventores de la burla, todavía les sobresaltó. Don Quijote quedó paralizado de miedo. Tres gatos se metieron en su estancia, y corriendo de una parte a otra, parecía que una legión de diablos andaba en ella.

Don Quijote sacó la espada y comenzó a lanzar estocadas por la ventana, diciendo a grandes voces:

"¡Fuera, malignos encantadores!"

Y volviéndose a los gatos que andaban por el aposento, les tiró muchas cuchilladas. Los gatos acudieron a la ventana y por ella se marcharon, menos uno que, viéndose tan acosado de las cuchilladas de Don Quijote, le saltó a la cara y le agarró de la nariz. Don Quijote comenzó a dar los mayores gritos que pudo. El duque y la duquesa acudieron a la estancia, abrieron la puerta con una llave maestra, y vieron la desigual pelea. Acudió el duque a separarlos, pero Don Quijote dijo a voces:

When eleven o'clock came, Don Quixote found a guitar in his chamber; he tuned it as well as he could, opened the window, and then with a voice a little hoarse but full-toned, he sang the following ballad, which he had himself that day composed:

Dulcinea del Toboso
Painted on my soul I wear,
Never from its canvas, never,
Can her image be erased.

The quality of all in love
Most esteemed is constancy;
'Tis by this that love works wonders,
This exalts them to the skies.

Don Quixote had got so far with his song, when all of a sudden, from a gallery above that was exactly over his window, they let down a cord with more than a hundred bells attached to it and a great sack full of cats, which also had bells of smaller size tied to their tails. Such was the din of the bells and the squalling of the cats, that though the duke and duchess were the contrivers of the joke, they were startled by it. Don Quixote stood paralysed with fear. Three of the cats made their way into his chamber, and flying from one side to the other, made it seem as if there was a legion of devils at large in it.

Don Quixote drew his sword and began making passes at the window, shouting out:

"Out with you, malignant enchanters!"

And turning upon the cats that were running about the room, he made several cuts at them. The cats dashed at the window and escaped by it, save one that, finding itself hard pressed by the slashes of Don Quixote's sword, flew at his face and held on to his nose. Don Quixote began to shout his loudest. The duke and duchess ran to his room, opened the door with a master-key, and witnessed the unequal combat. The duke ran forward to part the combatants, but Don Quixote cried out aloud:

"¡No me lo quite nadie! ¡Déjenme mano a mano con este demonio, con este hechicero, con este encantador! ¡Yo le daré a entender de mí a él quién es Don Quijote de La Mancha!"

Al final el duque separó al gato y lo echó por la ventana. Hicieron traer un aceite especial para curar a Don Quijote, que no respondió otra palabra si no fue dar un profundo suspiro; y luego se tendió en su lecho, agradeciendo a los duques la merced.

Los duques le dejaron sosegar y se fueron muy pesarosos del mal suceso de la burla; que no creyeron que tan pesada y costosa le saliera a Don Quijote aquella aventura, que le costó cinco días de encerramiento y cama.

CapÍtulo XIII

# DE LO QUE LE SUCEDIÓ A DON QUIJOTE CON DOÑA RODRÍGUEZ, LA DUEÑA DE LA DUQUESA, CON OTROS ACONTECIMIENTOS DIGNOS DE ESCRITURA Y DE MEMORIA ETERNA

Una noche estando Don Quijote despierto y desvelado pensando en sus desgracias, sintió que con una llave abrían la puerta de su aposento. Se puso en pie sobre la cama, y clavó los ojos en la puerta, y vio entrar a una reverendísima dueña con unas tocas blancas repulgadas y largas, tanto, que la cubrían y envolvían desde los pies a la cabeza.

"Yo te conjuro, fantasma —dijo Don Quijote—. Dime quién eres, y qué es lo que de mí quieres."

"Señor Don Quijote, yo no soy un fantasma, sino Doña Rodríguez, la dueña de mi señora la duquesa. Vengo con una necesidad de aquellas que vuestra merced suele remediar."

"Dígame, entonces, Doña Rodríguez" —dijo Don Quijote, metiéndose en la cama. Doña Rodríguez se sentó en una silla.

"Let no one take him from me! Leave me hand to hand with this demon, this wizard, this enchanter! I will teach him, I myself, who Don Quixote de La Mancha is!"

But at last the duke pulled the cat off and flung it out of the window. They sent for some special oil so as to cure Don Quixote, who made no answer except to heave deep sighs, and then he stretched himself on his bed, thanking the duke and duchess for their kindness.

The duke and duchess left him to repose and withdrew greatly grieved at the unfortunate result of the joke; as they never thought the adventure would have fallen so heavy on Don Quixote or cost him so dear, for it cost him five days of confinement to his bed.

CHAPTER XIII

# OF WHAT BEFELL DON QUIXOTE WITH DOÑA RODRÍGUEZ, THE DUCHESS'S MAID-OF-HONOUR, TOGETHER WITH OTHER OCCURRENCES WORTHY OF RECORD AND ETERNAL REMEMBRANCE

One night as Don Quixote lay awake thinking of his misfortunes, he perceived that some one was opening the door of his room with a key. He stood up on the bed, and kept his eyes fixed on the door, and he saw coming in a most venerable waiting-woman, in a long white-bordered veil that covered and enveloped her from head to foot.

"I conjure you, phantom —said Don Quixote—. Tell me who you are, and what you want from me."

"Sir Don Quixote, I am no phantom, but Doña Rodríguez, maid-of-honour to my lady the duchess. I come to you with one of those grievances your worship is wont to redress."

"Tell me, then, Doña Rodríguez" —said Don Quixote, getting into bed. Doña Rodríguez took her seat on a chair.

"Es, pues, el caso, señor Don Quijote, —dijo Doña Rodríguez— que soy viuda y tengo una hija. Y de mi muchacha se enamoró el hijo de un labrador riquísimo, que vive en una aldea del duque mi señor, no muy lejos de aquí. En resumen, no sé cómo ni cómo no, ellos se juntaron, y bajo palabra de ser su esposo, burló a mi hija, y ahora no se la quiere cumplir. El duque mi señor lo sabe, porque yo me he quejado a él, no una sino muchísimas veces, y le he pedido que mande al labrador casarse con mi hija, pero hace oídos sordos. Querría, pues, señor mío, que vuestra merced tomase a cargo el deshacer este agravio, ya sea por ruegos o por las armas, pues según todo el mundo dice, vuestra merced nació en él para amparar a los desgraciados." De repente se oyó un gran ruido, y Doña Rodríguez, asustada, abandonó la estancia.

Estando Don Quijote sano de los arañazos, le pareció que la vida que en aquel castillo tenía iba toda en contra de la orden de caballería que profesaba. Así determinó pedir licencia a los duques para marcharse a Zaragoza, cuyas fiestas estaban cerca. Estando un día a la mesa con los duques, y comenzando a poner en obra su intención y pedir la licencia, de repente entraron en la gran sala dos mujeres, cubiertas de luto de los pies a la cabeza. Una de ellas, acercándose a Don Quijote, se le echó a los pies tendida de largo a largo. Don Quijote, compasivo, la levantó del suelo y le hizo quitarse el velo de su faz llorosa. Era Doña Rodríguez; la otra mujer enlutada era su hija. Doña Rodríguez, volviéndose a los señores, les dijo:

"Vuestras excelencias sean servidos de darme licencia para que departa un momento con este caballero."

El duque dijo que podía departir con Don Quijote cuanto le viniese en deseo. Ella, volviéndose entonces a Don Quijote, dijo:

"Hace días, valeroso caballero, que os di cuenta de la injusticia que un mal labrador hizo a mi hija, que es esta desdichada aquí presente, y vos me prometisteis enderezar el entuerto que le tienen hecho; y ahora ha llegado a mis oídos que estáis a punto de partir de este castillo. Y así, querría que antes de que os fueseis por esos caminos, desafiaseis a ese rústico indómito, y le obligarais a casarse con mi hija, en cumplimiento de la palabra que le dio de ser su esposo."

"The fact is, then, Sir Don Quixote, —said Doña Rodríguez— that I am a widow and I have got a daughter. And the son of a very rich farmer, who lives in a village of my lord the duke's, not very far from here, fell in love with her. In short, I don't know how, they came together, and under the promise of marrying her, he made a fool of my daughter, and now he will not keep his word. My lord the duke is aware of it, for I have complained to him, not once but many and many times, and entreated him to order the farmer to marry my daughter, but he turns a deaf ear. Now, sir, I want your worship to take it upon yourself to redress this wrong, either by entreaty or by arms, for by what all the world says, you came into it to help the unfortunate." Suddenly a loud noise was heard, and Doña Rodríguez, afraid, left the room.

Don Quixote, being now cured of his scratches, felt that the life he was leading in that castle was entirely inconsistent with the order of chivalry he professed. So he determined to ask the duke and duchess to permit him to take his departure for Zaragoza, as the time of the festival was now drawing near. One day at table with the duke and duchess, just as he was about to carry his resolution into effect and ask for their permission, suddenly there came into the great hall two women, draped in mourning from head to foot. One of them, approaching Don Quixote, flung herself at full length at his feet. Don Quixote, touched with compassion, raised her up and made her remove the veil from her tearful face. It was Doña Rodríguez; the other female in mourning being her daughter. Doña Rodríguez, turning to her master and mistress, said to them:

"Will your excellences be pleased to permit me to speak to this gentleman for a moment."

The duke said that she might speak with Don Quixote as much as she liked. She then, turning to Don Quixote, said:

"Some days ago, valiant knight, I gave you an account of the injustice of a wicked farmer to my daughter, the unhappy damsel here before you, and you promised me to right the wrong that has been done to her; but now it has come to my hearing that you are about to depart from this castle. And therefore, before you take the road, I would like you to challenge that stubborn rustic, and compel him to marry my daughter in fulfillment of the promise he gave to her."

"Señora, —respondió Don Quijote— enjugad vuestras lágrimas, y ahorrad vuestros suspiros, que yo tomo a mi cargo obtener la reparación del desagravio de vuestra hija. Y así, con licencia del duque, mi señor, yo me partiré enseguida en busca de ese desalmado mancebo, y le desafiaré."

"No es menester —dijo el duque— que vuestra merced se tome esa molestia de buscarle y desafiarle, que yo le doy por desafiado. El vendrá a responder por sí a este mi castillo, donde a entrambos daré campo seguro, guardando todas las condiciones que en tales actos suelen y deben guardarse."

"Pues con ese seguro, y con buena licencia de vuestra grandeza, —replicó Don Quijote— desde aquí le desafío y reto."

Y quitándose un guante, lo arrojó en mitad de la sala, y el duque lo recogió diciendo que él aceptaba el desafío en nombre de su vasallo, y señalaba el plazo, de allí a seis días —el campo, en la plaza del castillo, y las armas, las acostumbradas de los caballeros.

Las enlutadas se fueron, y ordenó la duquesa que de allí en adelante no las tratasen como a sus criadas, sino como a señoras aventureras que habían venido a pedir justicia a su casa.

Dejaremos aquí la historia por contar el fin que tuvo el gobierno del gran Sancho Panza, flor y espejo de todos los insulanos gobernadores.

"Good lady, —replied Don Quixote— dry your tears, and spare your sighs, for I take it upon myself to obtain redress for your daughter. And so, with my lord the duke's leave, I will at once go in quest of that cruel youth, and I will challenge him."

"There is no necessity —said the duke— for your worship to take such trouble of looking for him and challenging him, for I admit him duly challenged. He will come to answer it in person to this castle of mine, where I will give you both a fair field, observing all the conditions which are usually and properly observed in such trials."

"Then with that assurance and your highness's good leave, — replied Don Quixote— I hereby challenge and defy him."

And then plucking off a glove, he threw it down in the middle of the hall, and the duke picked it up, saying that he accepted the challenge in the name of his vassal, and fixed six days thence as the time —the courtyard of the castle as the place, and for arms, the customary ones of knights.

The ladies in mourning left, and the duchess gave orders that for the future they were not to be treated as servants of hers, but as lady adventurers who had come to her house to demand justice.

Now we will leave here the story to relate the end of the government of the great Sancho Panza, flower and mirror of all governors of islands.

## Capítulo XIV

# DEL FATIGADO FIN Y REMATE QUE TUVO EL GOBIERNO DE SANCHO PANZA

Estando Sancho la séptima noche de los días de su gobierno en su cama, no harto de pan ni de vino, sino de juzgar y dar pareceres y de hacer estatutos y pragmáticas, cuando el sueño, a pesar del hambre, le comenzaba a cerrar los párpados, oyó tan gran ruido de campanas y de voces, tan grande alboroto, que no parecía sino que toda la ínsula se hundía.

Se levantó, se puso unas zapatillas y salió a la puerta de su aposento, a tiempo cuando vio venir por un pasillo a más de veinte personas con antorchas encendidas en las manos y con las espadas desenvainadas, gritando todos a grandes voces:

"¡A las armas, señor gobernador, a las armas! ¡Que han entrado infinitos enemigos en la ínsula, y estamos perdidos si vuestro valor no nos socorre!"

"¿Qué sé yo de armas ni de socorros? —respondió Sancho—. Estas cosas mejor será dejarlas para mi amo Don Quijote, que en un santiamén las despachará; que yo, pecador que soy, no entiendo nada de estas prisas."

Pero ellos al momento le trajeron dos paveses de que venían provistos y se los pusieron encima de la camisa, un pavés delante y otro detrás, y por dos aberturas que traían hechas le sacaron los brazos, y le liaron muy bien con cuerdas, de modo que quedó emparedado y entablado, derecho como un huso, sin poder doblar las rodillas ni menearse un solo paso. Le pusieron en las manos una lanza, y le dijeron que los guiase y les infundiese valor.

## CHAPTER XIV

# OF THE TROUBLOUS END AND TERMINATION SANCHO PANZA'S GOVERNMENT CAME TO

As Sancho was lying in bed on the night of the seventh day of his government, sated, not with bread and wine, but with delivering judgments and giving opinions and making laws and proclamations, just as sleep, in spite of hunger, was beginning to close his eyelids, he heard such a noise of bell-ringing and shouting, so great an uproar, that one would have fancied the whole island was going to the bottom.

He got up, put on a pair of slippers and rushed out of the door of his room, just in time to see approaching along a corridor a band of more than twenty persons with lighted torches and naked swords in their hands, all shouting out:

"To arms, sir governor, to arms! The enemy is in the island in countless numbers, and we are lost unless your valour come to our support!"

"What do I know about arms or supports? —replied Sancho—. Better leave all that to my master Don Quixote, who will settle it in a trice; for I, sinner that I am, don't understand these scuffles."

But they at once produced two large shields they had come provided with, and placed them upon him over his shirt, one shield in front and the other behind, and passing his arms through two openings they had made, they bound him tight with ropes, so that there he was walled and boarded up as straight as a spindle and unable to bend his knees or stir a single step. They placed a lance in his hand, and told him to lead them on and give them all courage.

Probó el pobre gobernador a moverse, y fue a dar consigo en el suelo tan gran golpe que pensó que se había hecho pedazos. Quedó tumbado como un galápago; y no por verle caído aquella gente burladora le tuvieron compasión alguna; antes, apagando las antorchas, tornaron a reforzar las voces, pisoteando al pobre Sancho y dándole infinitas cuchilladas sobre los paveses con las espadas, de manera que si él no se recogiera y encogiera metiendo la cabeza entre los paveses, lo pasara muy mal el pobre gobernador. El magullado y molido Sancho se encomendaba de todo corazón a Dios, que de aquel peligro le sacase:

"¡Ay, si el Señor fuese servido que se acabase ya de perder esta ínsula, y me viese yo fuera de esta tortura!" Oyó el cielo su petición y cuando menos lo esperaba, oyó voces que decían:

"¡Victoria, victoria! ¡Los enemigos van de vencida! ¡Ea, señor gobernador, levántese vuestra merced, y venga a repartir los despojos que se han tomado al enemigo."

"Levántenme" —dijo el dolorido Sancho.

Le ayudaron a levantarse, y puesto en pie, dijo:

"Yo no quiero repartir despojos de enemigos, sino pedir y suplicar a algún amigo que me dé un trago de vino."

Preguntó qué hora era; le respondieron que ya amanecía. Calló y, sin decir otra cosa, se fue a vestir. Después fue a la caballeriza, y llegándose a su asno, le abrazó y le dio un beso en la frente, y no sin lágrimas en los ojos, le dijo:

"Ven acá, compañero mío y amigo mío. Cuando yo estaba contigo y no tenía otra preocupación que la que me daban los cuidados de remendar tus aparejos y darte de comer, dichosas eran mis horas, mis días y mis años; pero desde que te dejé, y me subí a las torres de la ambición y de la soberbia, se me han entrado por el alma dentro mil miserias, mil trabajos y cuatro mil desasosiegos."

The poor governor made an attempt to advance, but fell to the ground with such a crash that he fancied he had broken himself all to pieces. There he lay like a tortoise; nor did the gang of jokers feel any compassion for him when they saw him down; so far from that, extinguishing their torches, they began to shout afresh, trampling on poor Sancho and slashing at him over the shields with their swords, in such a way that, if he had not gathered himself together and made himself small and drawn in his head between the shields, it would have fared badly with the poor governor. The bruised and battered Sancho commended himself with all his heart to God to deliver him from his present peril:

"O if it would only please the Lord to let the island be lost at once, and I could see myself out of this torture!" Heaven heard his prayer, and when he least expected it, he heard voices exclaiming:

"Victory, victory! The enemy retreats beaten! Come, sir governor, get up, and come and divide the spoils that have been won from the foe."

"Lift me up" —said the wretched Sancho.

They helped him to rise, and as soon as he was on his feet, he said:

"I don't want to divide the spoils of the foe, I only beg and entreat some friend to give me a sup of wine."

He asked the time; they told him it was just daybreak. He said no more and, in silence, he went to dress himself. Afterwards he proceeded to the stable, and going up to his ass, he embraced him and gave him a kiss on the forehead, and said to him, not without tears in his eyes:

"Come along, dear companion and friend of mine. When I was with you and had no cares to trouble me except mending your harness and feeding you, happy were my hours, my days and my years; but since I left you, and mounted the towers of ambition and pride, a thousand miseries, a thousand troubles, and four thousand anxieties have entered into my soul."

Y en tanto que estas razones iba diciendo, iba asimismo enalbardando el asno; montó sobre él, y dijo a todos los allí presentes:

"Abrid camino, señores, y dejadme volver a mi antigua libertad. Yo no nací para ser gobernador. Vuestras mercedes queden con Dios."

Le dejaron ir, ofreciéndole primero compañía y todo aquello que quisiese para el regalo de su persona y para la comodidad de su viaje. Sancho dijo que no quería más de un poco de cebada para el asno, y medio queso y medio pan para él. Y los dejó admirados, así de sus razones como de su determinación tan resoluta y tan discreta.

## Capítulo XV

# QUE TRATA DE COSAS TOCANTES A ESTA HISTORIA Y NO A OTRA ALGUNA

Resolviéronse el duque y la duquesa de que el desafío que Don Quijote había hecho a su vasallo pasase adelante; y puesto que el mozo estaba en Flandes, adonde se había ido huyendo por no tener por suegra a Doña Rodríguez, ordenaron poner en su lugar a un lacayo, que se llamaba Tosilos. El duque dijo a Don Quijote que de allí a cuatro días, su contrario se presentaría en el campo de batalla. Don Quijote recibió con mucho gusto tales nuevas.

Mientras tanto, Sancho, entre alegre y triste, venía caminando sobre el rucio a buscar a su amo, y quiso su corta y desventurada suerte que buscando lugar donde mejor acomodarse para pasar la noche, cayeron él y el rucio en una honda y oscurísima sima que entre unos edificios muy antiguos estaba.

"¡Ay! —dijo el pobre Sancho—. ¿Quién dijera que el que ayer se vio entronizado gobernador de una ínsula, mandando a sus sirvientes y a sus vasallos, hoy se había de ver sepultado en una sima, sin haber persona alguna que le ayude, ni criado ni vasallo que acuda a su socorro?"

And while he was speaking, he was fixing the pack-saddle on the ass; he got up on him, and said to all who stood by:

"Make way, gentlemen, and let me go back to my old freedom. I was not born to be a governor. God be with your worships."

They allowed him to go, first offering to bear him company and furnish him with all he wanted for his own comfort or for the journey. Sancho said he did not want anything more than a little barley for his ass, and half a cheese and half a loaf for himself. And he left them filled with admiration, not only at his remarks but at his firm and sensible resolution.

CHAPTER XV

# WHICH DEALS WITH MATTERS RELATING TO THIS HISTORY AND NO OTHER

The duke and duchess resolved that the challenge Don Quixote had given their vassal, should be proceeded with; and as the young man was in Flandes, where he had fled to escape having Doña Rodríguez for a mother-in-law, they arranged to substitute for him a footman, named Tosilos. The duke told Don Quixote that in four days' time, his opponent would present himself on the field of battle. Don Quixote was greatly pleased at the news.

Meanwhile, Sancho, half glad, half sad, paced along on his road to join his master. but his ill luck and hard fate so willed it that as he was searching about for a place to make himself as comfortable as possible to spend the night, he and his ass fell into a deep dark hole that lay among some very old buildings.

"Alas! —said poor Sancho—. Who would have said that one who saw himself yesterday sitting on a throne, governor of an island, giving orders to his servants and his vassals, would see himself today buried in a pit without a soul to help him, or servant or vassal to come to his relief?"

Finalmente, vino el día, con cuya claridad y resplandor vio Sancho que era imposible de toda imposibilidad salir de aquel pozo sin ser ayudado, y comenzó a dar voces, por ver si alguno le oía. Aquí le deja el autor, y vuelve a tratar de Don Quijote, que alborozado y contento esperaba el plazo de la batalla.

Sucedió, pues, que saliendo Don Quijote una mañana a ensayar lo que había de hacer, llegó a una cueva. Rocinante por poco se cae, pero no cayó. Don Quijote, sin apearse, miró aquella hondura; y estándola mirando, oyó grandes voces que salían de dentro. ¡Era Sancho Panza! Don Quijote le dejó y se fue al castillo a buscar ayuda.

Llevaron sogas y, a costa de mucha gente y de mucho trabajo, sacaron al rucio y a Sancho Panza de aquellas tinieblas a la luz del sol. Llegaron al castillo, y Sancho fue a ver a sus señores, ante los cuales puesto de rodillas, dijo:

"Yo, señores, porque lo quiso así vuestra grandeza, fui a gobernar vuestra Insula Barataria. Si he gobernado bien o mal, testigos he tenido delante, que dirán lo que quisieren. He declarado dudas, sentenciado pleitos, siempre muerto de hambre, por haberlo querido así el doctor Pedro Recio, médico insulano y gobernadoresco. En este tiempo he tanteado las cargas y las obligaciones que trae consigo el gobernar, y he hallado por mi cuenta que no las podrán llevar mis hombros, ni son peso de mis costillas; y así, antes que diese conmigo al través el gobierno, he querido yo dar con el gobierno al través, y ayer de mañana dejé la ínsula como la hallé.

Así que, mis señores, aquí está vuestro gobernador Sancho Panza, que besando a vuestras mercedes los pies, e imitando el juego de los muchachos cuando dicen: *salta tú* y *dámela tú*, doy un salto del gobierno y me paso al servicio de mi señor Don Quijote."

El duque abrazó a Sancho, y le dijo que le pesaba en el alma que hubiese dejado tan presto el gobierno, pero que él haría de suerte que se le diese en su estado otro oficio de menos carga y de más provecho. Le abrazó también la duquesa, y mandó que le regalasen, porque daba señales de venir mal molido y peor parado.

At length, day came, and by its light Sancho perceived that it was wholly impossible to escape out of that pit without help, and he began to shout to find out if there was anyone within hearing. Here the author leaves him, and returns to Don Quixote, who in high spirits and satisfaction was looking forward to the day fixed for the battle.

Then it happened that Don Quixote, having sallied forth one morning to exercise himself in what he would have to do, he came close to a pit. Rocinante almost fell, but he did not fall. Don Quixote examined the hole without dismounting; and as he was looking at it, he heard loud cries proceeding from it. It was Sancho Panza! Don Quixote left him and hastened to the castle to look for help.

They fetched ropes and, by dint of many hands and much labour, they drew up the ass and Sancho Panza out of the darkness into the light of day. They reached the castle, and Sancho went to see his lord and lady, and kneeling before them, he said:

"I, my lord and my lady, because it was your Highnesses' pleasure, went to govern your Isle Barataria. Whether I have governed well or ill, I have had witnesses, who will say what they think fit. I have answered questions, I have decided causes, and always dying of hunger, for Doctor Pedro Recio, the island and governor doctor, would have it so. During this time I have weighed the cares and responsibilities governing brings with it, and by my reckoning, I find my shoulders can't bear them, nor are they a load for my loins; and so, before the government threw me over, I preferred to throw the government over, and yesterday morning I left the island as I found it.

So now, my lord and my lady, here is your governor Sancho Panza, who kissing your worships' feet, and imitating the game of the boys when they say: *you jump and give me one*, I take a leap out of the government and pass into the service of my master Don Quixote."

The duke embraced Sancho, and told him he was heartily sorry he had given up the government so soon, but that he would see that he was provided with some other post on his estate less onerous and more profitable. The duchess also embraced him, and gave orders that he should be taken good care of, as it was plain to see he had been badly treated and worse bruised.

## Capítulo XVI

# DE LA DESCOMUNAL Y NUNCA VISTA BATALLA QUE PASÓ ENTRE DON QUIJOTE DE LA MANCHA Y EL LACAYO TOSILOS EN DEFENSA DE LA HIJA DE LA DUEÑA DOÑA RODRÍGUEZ

No quedaron arrepentidos los duques de la burla hecha a Sancho Panza del gobierno que le dieron; y más, que aquel mismo día vino su mayordomo, y les contó punto por punto todo lo que había pasado, de lo cual no pequeño gusto recibieron. Después de esto, cuenta la historia que se llegó el día de la batalla aplazada. El duque había advertido a su lacayo Tosilos cómo se había de avenir con Don Quijote para vencerle sin matarle ni herirle. Muchísima gente acudió de todos los lugares y aldeas circunvecinas a ver la novedad de aquella batalla. El primero que entró en el campo fue el maestro de ceremonias; luego entraron las dueñas y se sentaron en sus asientos.

De allí a poco, acompañado de muchas trompetas, asomó por una parte de la plaza, sobre un poderoso caballo, hundiéndola toda, el lacayo Tosilos, calada la visera y revestido de una fuerte y reluciente armadura. Paseó la plaza, y llegando adonde las dueñas estaban, se paró a mirar a la que por esposo le pedía. Llamó el maese de campo a Tosilos y a Don Quijote, que ya se había presentado en la plaza, y se dirigió a las señoras, preguntándoles si consentían que Don Quijote de La Mancha combatiera en defensa de su causa. Ellas dijeron que sí, y que todo lo que en aquel caso hiciese lo daban por bien hecho, por firme y por valedero.

Fue condición de los combatientes que si Don Quijote vencía, su contrario se había de casar con la hija de Doña Rodríguez; pero si fuese vencido, su oponente quedaba libre de la palabra que se le reclamaba y de toda obligación de dar satisfacción.

# OF THE PRODIGIOUS AND UNPARALLELED BATTLE THAT TOOK PLACE BETWEEN DON QUIXOTE DE LA MANCHA AND THE LACKEY TOSILOS IN DEFENCE OF THE DAUGHTER OF DOÑA RODRÍGUEZ

The duke and duchess had no reason to regret the joke that had been played upon Sancho Panza in giving him the government; especially as their butler returned the same day, and gave them a minute account of everything that had happened, with which they were not a little amused. After this, the history goes on to say that the day fixed for the battle arrived. The duke had instructed his lackey Tosilos how to deal with Don Quixote so as to vanquish him without killing or wounding him. A vast crowd flocked from all the villages and hamlets of the neighbourhood to see the novel spectacle of the battle. The first person to enter the field was the master of the ceremonies; then the waiting-women entered and seated themselves.

Shortly afterwards, accompanied by several trumpets and mounted on a powerful steed that threatened to crush the whole place, the lackey Tosilos made his appearance on one side of the courtyard, with his visor down and encased in a suit of stout shining armour. He crossed the courtyard at a walk, and coming to where the ladies were placed, stopped to look at her who demanded him for a husband. The marshal of the field summoned Tosilos and Don Quixote, who had already presented himself in the lists, and he addressed the ladies, asking them if they consented that Don Quixote de La Mancha should do battle for their cause. They said they did, and that whatever he should do in that behalf, they declared rightly done, final and valid.

The conditions of the combat were that if Don Quixote overcame, his antagonist was to marry the daughter of Doña Rodríguez; but if he should be vanquished, his opponent was released from the promise that was claimed against him and from all obligations to give satisfaction.

Sonaron los tambores; llenó el aire el son de las trompetas; Don Quijote, encomendándose de todo corazón a Dios Nuestro Señor y a la señora Dulcinea del Toboso, estaba aguardando a que el maese de campo le diese la señal precisa de la arremetida. Sin embargo, Tosilos tenía diferentes pensamientos.

Parece ser que cuando estuvo mirando a su enemiga, le pareció la más hermosa mujer que había visto en toda su vida, y se enamoró de ella. Digo, pues, que, cuando dieron la señal de la arremetida, Tosilos no atendió al son de la trompeta, como hizo Don Quijote, que apenas la hubo oído, partió contra su enemigo. Tosilos, viendo venir contra sí a Don Quijote, llamó a grandes voces al maese de campo, y le dijo:

"Señor, ¿no se hace esta batalla para decidir que yo me case, o no me case con aquella señora?"

"Así es" —fue la respuesta.

"Pues yo —dijo el lacayo— declaro que me doy por vencido, y que estoy dispuesto a casarme con aquella señora enseguida."

Don Quijote se detuvo a mitad de carrera, viendo que su enemigo no le acometía. El maese de campo se apresuró a contarle al duque lo que Tosilos decía, de lo que quedó suspenso y colérico en extremo. En tanto que esto pasaba, Tosilos se llegó adonde Doña Rodríguez estaba, y dijo a grandes voces:

"Yo, señora, quiero casarme con vuestra hija, y no deseo alcanzar por pleitos ni contiendas lo que pueda alcanzar en paz y sin arriesgar la vida."

En resumen, todos aclamaron a Don Quijote como vencedor; y quedaron Doña Rodríguez y su hija contentísimas de ver que, por una vía o por otra, aquel caso había de parar en casamiento.

Ya le pareció a Don Quijote que era bien salir de tanta ociosidad y encerramiento como los que en aquel castillo tenía; y así, un día pidió licencia a los duques para partirse. Se la dieron, ...

The drums beat; the sound of the trumpets filled the air; Don Quixote, commending himself with all his heart to God Our Lord and to the lady Dulcinea del Toboso, stood waiting for the marshal of the field to give the necessary signal for the onset. However, Tosilos was thinking of something very different.

It seems that as he stood contemplating his enemy, she struck him as the most beautiful woman he had ever seen all his life, and he fell in love with her. Well then, when they gave the signal for the onset, Tosilos paid no attention to the sound of the trumpet, unlike Don Quixote, who the instant he heard it, set out to meet his enemy. Tosilos, seeing Don Quixote coming at him, called loudly to the marshal of the field, and said to him:

"Sir, is not this battle to decide whether I marry, or do not marry that lady?"

"Just so" —was the answer.

"Well then, —said the lackey— I therefore declare that I yield myself vanquished, and that I am willing to marry that lady at once."

Don Quixote pulled up in mid career when he saw that his enemy was not coming on to the attack. The marshal of the field hastened to the duke to let him know what Tosilos said, and he was amazed and extremely angry at it. In the meantime, Tosilos advanced to where Doña Rodríguez sat, and said in a loud voice:

"Madam, I want to marry your daughter, and I have no wish to obtain by strife and fighting what I can obtain in peace and without any risk to my life."

To be brief, all hailed Don Quixote as victor; and Doña Rodríguez and her daughter remained perfectly contented when they saw that any way, the affair must end in marriage.

Don Quixote now felt it right to quit a life of such idleness and seclusion as he was leading in the castle; and so one day he asked the duke and duchess to grant him permission to take his departure. They gave it, ...

con muestras de que en gran manera les pesaba que les dejase. El día de la partida, Don Quijote, se presentó de mañana temprano con toda su armadura en la plaza del castillo. Toda la gente del castillo le miraba desde los corredores, y también los duques salieron a verle. Estaba Sancho sobre su rucio, con sus alforjas, contentísimo porque el mayordomo del duque le había dado un bolsico con doscientos escudos de oro para suplir los menesteres del camino, y esto aún no lo sabía Don Quijote. Abajó la cabeza Don Quijote, y hizo una reverencia a los duques y a todos los presentes, y volviendo las riendas a Rocinante, siguiéndole Sancho sobre su asno, salió del castillo, enderezando su camino a Zaragoza.

Cuando Don Quijote se vio en campo abierto y libre, le pareció que estaba en su centro, y volviéndose a Sancho, le dijo:

"La libertad, Sancho, es uno de los más preciosos dones que a los hombres dieron los cielos; con ella no pueden igualarse los tesoros que encierra la tierra ni que el mar encubre. ¡Venturoso aquél a quien el cielo dio un pedazo de pan, sin que le quede obligación de agradecérselo a otro más que al mismo cielo!"

"Con todo eso que vuestra merced dice, —dijo Sancho— no está bien que se queden sin agradecimiento de nuestra parte los doscientos escudos de oro que en una bolsilla me dio el mayordomo del duque, que no siempre hemos de hallar castillos donde nos regalen."

En estos y otros razonamientos, iban los andantes, caballero y escudero, siguiendo su camino cuando llegaron a una venta.

CAPÍTULO XVII

# DONDE SE CUENTA DEL EXTRAORDINARIO SUCESO, QUE SE PUEDE TENER POR AVENTURA, QUE LE SUCEDIÓ A DON QUIJOTE

Llegaron a la venta, y preguntaron al huésped si había posada. Les dijo que sí, y se apearon.

228

showing at the same time that they were very sorry he was leaving them. On the day of their departure, Don Quixote made his appearance at an early hour in full armour in the courtyard of the castle. The whole household of the castle were watching him from the corridors, and the duke and duchess, too, came out to see him. Sancho was mounted on his ass, with his saddle-bags, very happy because the duke's butler had given him a little purse with two hundred gold crowns to meet the necessary expenses of the road, but of this Don Quixote knew nothing as yet. Don Quixote bowed his head, and saluted the duke and duchess and all the bystanders, and wheeling Rocinante round, Sancho following him on his ass, he rode out of the castle, shaping his course for Zaragoza.

When Don Quixote saw himself in open country and free, he felt at his ease, and turning to Sancho, he said:

"Freedom, Sancho, is one of the most precious gifts that heaven has bestowed upon men; no treasures that the earth holds buried or the sea conceals can compare with it. Happy he to whom heaven gave a piece of bread, for which he is not bound to give thanks to any but heaven itself!"

"For all your worship says, —said Sancho— it is not right that there should be no thanks on our part for two hundred gold crowns that the duke's steward gave me in a little purse, for we won't always find castles where they'll entertain us."

In conversation of this sort the knight and squire errant were pursuing their journey when they arrived at an inn.

CHAPTER XVII

# WHEREIN IS RELATED THE STRANGE THING, WHICH MAY BE REGARDED AS AN ADVENTURE, THAT HAPPENED TO DON QUIXOTE

They reached the inn, and asked the landlord if they could put up there. He said yes, and they dismounted.

Llegó la hora de cenar, y se recogieron a su estancia; trajo el ventero una olla, y se sentaron a cenar muy de propósito. Parece ser que de otro aposento, que junto al de Don Quijote estaba, oyeron decir estas palabras:

"Mientras traen la cena, leamos otro capítulo de la segunda parte de Don Quijote de La Mancha."

Apenas oyó su nombre Don Quijote, cuando se puso en pie, y con oído alerto escuchó lo que de él trataban.

"Lo que a mí más disgusta del libro, decía uno de ellos, es que pinta a Don Quijote ya desenamorado de Dulcinea del Toboso."

Oyendo lo cual Don Quijote, lleno de ira y de indignación, alzó la voz y dijo:

"Quienquiera que dijere que Don Quijote de La Mancha ha olvidado a Dulcinea del Toboso, yo le haré entender con armas iguales que está muy lejos de la verdad."

"¿Quién es el que nos responde?" —dijeron los otros.

"¡Quién ha de ser, —respondió Sancho— sino el mismo Don Quijote de La Mancha!"

Apenas hubo dicho esto Sancho, cuando entraron por la puerta del aposento dos caballeros. Le pidieron a Don Quijote que se pasase a su estancia a cenar con ellos. En el discurso de la cena le preguntaron que adónde llevaba determinado su viaje. Respondió que a Zaragoza, a tomar parte en las justas. Don Juan le dijo que aquella nueva historia contaba cómo Don Quijote hizo el ridículo en ellas.

"¡No pondré los pies en Zaragoza! —exclamó Don Quijote—. Y así sacaré a la plaza del mundo la mentira de ese historiador moderno, y verán las gentes como yo no soy el Don Quijote que él dice."

Supper-time came, and they repaired to their room; the landlord brought in the stew pan, and they sat down to sup very resolutely. It seems that from another room, which was next to Don Quixote's, they overheard these words:

"While they are bringing supper, let us read another chapter of the second part of Don Quixote de La Mancha."

The instant Don Quixote heard his own name, he started to his feet and listened with open ears to catch what they were saying about him.

"What displeases me most in the book, said one of them, is that it represents Don Quixote as now cured of his love for Dulcinea del Toboso."

On hearing this Don Quixote, full of wrath and indignation, lifted up his voice and said

"Whoever he may be who says that Don Quixote of La Mancha has forgotten Dulcinea del Toboso, I will teach him with equal arms that what he says is very far from the truth."

"Who is this that answers us?" —said the others.

"Who should it be, —replied Sancho— but Don Quixote de La Mancha himself!"

Sancho had hardly uttered these words, when two gentlemen entered the room. They pressed Don Quixote to come into their room and have supper with them. While at supper they asked him whither he meant to direct his steps. He replied to Zaragoza, to take part in the jousts. Don Juan told him that the new history described how Don Quixote made a fool of himself in them.

"I will not set foot in Zaragoza! —exclaimed Don Quixote—. And I will expose to the world the lie of this new history writer, and people will see that I am not the Don Quixote he speaks of."

"Hará muy bien vuestra merced —dijo Don Jerónimo—. Hay otras justas en Barcelona, donde podrá el señor Don Quijote demostrar su valor."

"Así lo pienso hacer —dijo Don Quijote—. Y vuestras mercedes me den licencia, pues ya es hora, para irme al lecho, y me tengan y pongan en el número de sus mayores amigos y servidores."

Con esto se despidieron, y Don Quijote y Sancho se retiraron a sus aposentos.

Capítulo XVIII

# DE LO QUE SUCEDIÓ A DON QUIJOTE YENDO A BARCELONA

Era temprano cuando salieron de la venta, informándose primero cuál era el más derecho camino para ir a Barcelona. En más de seis días no le sucedió cosa digna de ponerse en escritura. Don Quijote iba y venía con el pensamiento por mil géneros de lugares; ya que le sonaban en los oídos las palabras del sabio Merlín, que le referían las condiciones y diligencias que se habían de hacer y tener en el desencantamiento de Dulcinea. Se desesperaba al ver la flojedad y poca caridad de Sancho, pues, a lo que creía, sólo cinco azotes se había dado.

Al amanecer del sexto día, entraron en Barcelona. Llegaron a la playa, tendieron la vista por todas partes, y contemplaron el mar, que hasta entonces nunca habían visto. Entonces Don Quijote vio venir hacía él un caballero con armadura, y con una luna resplandeciente pintada en el escudo. El caballero, llegándose a trecho que podía ser oído, dijo en alta voz:

"Insigne caballero Don Quijote de La Mancha, yo soy el Caballero de la Blanca Luna. Vengo a contender contigo, pues quiero hacerte confesar que mi dama, sea quien fuere, es sin comparación más hermosa que tu Dulcinea del Toboso. Si así lo confiesas, excusarás tu muerte; ...

"You will do quite right —said Don Jerónimo—. There are other jousts at Barcelona, in which Sir Don Quixote will be able to display his prowess."

"That is what I mean to do —said Don Quixote—. And as it is now time, I pray your worships to give me leave to retire to bed, and to place and retain me among the number of your greatest friends and servants."

With this they exchanged farewells, and Don Quixote and Sancho retired to their rooms.

## Chapter XVIII

# OF WHAT HAPPENED TO DON QUIXOTE ON HIS WAY TO BARCELONA

Early in the morning they quitted the inn, first of all taking care to ascertain the most direct road to Barcelona. Nothing worthy of being recorded happened to him for six days. Don Quixote roamed in fancy to and fro through all sorts of places; again that words of the sage Merlin were sounding in his ears, setting forth the conditions to be observed and the exertions to be made for the disenchantment of Dulcinea. He lost all patience when he considered the laziness and want of charity of Sancho, for to the best of his belief, he had only given himself five lashes.

The sixth day, at daybreak they entered Barcelona. They reached the shore, gazed all round them, and beheld the sea, a sight until then unseen by them. Then Don Quixote saw coming towards him a knight in full armour, with a shining moon painted on his shield. The knight, on approaching sufficiently near to be heard, said in a loud voice:

"Illustrious Knight Don Quixote de La Mancha, I am the Knight of the White Moon. I have come to do battle with you, for I want to make you confess that my lady, let her be who she may, is incomparably fairer than your Dulcinea del Toboso. If you do acknowledge this statement, you will escape death; ...

y si tú pelearas y yo te venciere, no quiero otra satisfacción sino que, dejando las armas y absteniéndote de buscar aventuras, te retires a tu aldea por el espacio de un año, porque así conviene al aumento de tu hacienda y a la salvación de tu alma. Y si tú me vencieres, pasará a la tuya la fama de mis hazañas."

Don Quijote quedó suspenso y atónito, así de la arrogancia del Caballero de la Blanca Luna como de la causa por la que le desafiaba, y con reposo y ademán severo, le respondió:

"Caballero de la Blanca Luna, acepto vuestro desafío, con las condiciones que habéis propuesto, excepto la de que se pase a mí la fama de vuestras hazañas, porque no sé cuáles ni qué tales sean; con las mías me contento, tales cuales ellas son. Tomad, pues, la parte del campo que queráis, que yo haré lo mismo, y a quien Dios se la diere, San Pedro se la bendiga."

Habían informado al virrey de Barcelona de lo que estaba pasando. El virrey, creyendo que sería alguna aventura fabricada por algún caballero de la ciudad, salió a toda prisa hacia la playa, con varios caballeros que le acompañaban, y llegó a tiempo cuando Don Quijote volvía las riendas a Rocinante para tomar la distancia necesaria. En esto, el virrey se puso en medio, preguntándoles cuál era la causa que les movía a hacer tan de improviso batalla. El Caballero de la Blanca Luna, en breves razones, le dijo lo que le había dicho a Don Quijote, con la aceptación de las condiciones del desafío por ambas partes.

"Señores caballeros, —dijo el virrey, pensando que no se trataba más que de una burla— si aquí no hay otro remedio sino confesar o morir, y el señor Don Quijote está en sus trece, y vuestra merced el de la Blanca Luna en sus catorce, a la mano de Dios, y dense."

Don Quijote y el Caballero de la Blanca Luna agradecieron con buenas razones al virrey la licencia que se les daba. Luego Don Quijote, encomendándose de todo corazón al cielo y a su Dulcinea, cogió más distancia, porque vio que su contrario hacía lo mismo; ...

and if you fight and I vanquish you, I demand no other satisfaction than that, laying aside arms and abstaining from going in quest of adventures, you withdraw to your village for the space of a year, because it is needful for the increase of your property and the salvation of your soul. And if you do vanquish me, the renown of my deeds will be transferred and added to yours."

Don Quixote was amazed and astonished, as well at the Knight of the White Moon's arrogance as at the reason for his challenge, and with calm dignity, he answered him:

"Knight of the White Moon, I accept your challenge, with the conditions you have proposed, except only that of the renown of your achievements being transferred to me, for I know not of what sort they are nor what they may amount to; I am satisfied with my own, such as they be. Take, therefore, the side of the field you choose, and I will do the same, and to whom God shall give it, may Saint Peter add his blessing."

The viceroy of Barcelona had been informed of what was going on. The viceroy, fancying it must be some adventure got up by some gentleman of the city, hurried out to the beach, accompanied by several gentlemen, and arrived just as Don Quixote was wheeling Rocinante round in order to take up the necessary distance. The viceroy upon this, put himself between them, asking them what it was that led them to engage in combat all of a sudden in this way. The Knight of the White Moon briefly told him what he had said to Don Quixote, and how the conditions of the defiance agreed upon on both sides had been accepted.

"Gallant knights, —said the viceroy, thinking that it was anything but a joke— if there is no other way out of it except to confess or die, and Don Quixote is inflexible, and your worship of the White Moon still more, so in God's hand be it, and fall on."

Don Quixote and the Knight of the White Moon thanked the viceroy in courteous and well-chosen words for the permission he gave them. Then Don Quixote, commending himself with all his heart to heaven and to his Dulcinea, proceeded to take a little more distance, as he saw his antagonist was doing the same; ...

y sin trompeta que les diese señal de arremeter, los dos a un mismo tiempo volvieron las riendas a sus caballos; y como era más ligero el Caballero de la Blanca Luna, llegó a Don Quijote a dos tercios andados de la carrera, y allí le encontró con tan poderosa fuerza que, sin tocarle con la lanza, —que la levantó a propósito— arrojó a Don Quijote y a Rocinante al suelo —una peligrosa caída. Enseguida se abalanzó sobre él, y poniéndole la lanza sobre la visera, le dijo:

"Vencido sois, caballero, y aun muerto si no confesáis las condiciones de nuestro desafío."

Don Quijote, molido y aturdido, sin alzarse la visera, con voz debilitada y enferma, dijo:

"Dulcinea del Toboso es la más hermosa mujer del mundo, y yo el más desdichado caballero de la tierra, y no es bien que mi flaqueza defraude esta verdad; aprieta, caballero, la lanza, y quítame la vida, pues me has quitado la honra."

"Eso no haré yo, por cierto, —dijo el Caballero de la Blanca Luna—. ¡Viva, viva en su entereza la fama de la hermosura de la señora Dulcinea del Toboso! Sólo me contento con que el gran Don Quijote se retire a su lugar un año, o hasta el tiempo que por mí le fuere mandado, como concertamos antes de entrar en esta batalla."

Todo esto lo oyeron los que allí estaban, y oyeron asimismo que Don Quijote respondió que como no le pidiese cosa que fuese en perjuicio de Dulcinea, todo lo demás cumpliría como caballero puntual y verdadero. Hecha esta confesión, volvió las riendas el Caballero de la Blanca Luna, y a medio galope se marchó y entró en la ciudad.

Finalmente, en una silla de manos, que mandó traer el virrey, llevaron a Don Quijote a la ciudad. El virrey ordenó a Don Antonio Moreno, un caballero suyo, que averiguase quién era el Caballero de la Blanca Luna. Siguió Don Antonio Moreno al Caballero de la Blanca Luna, el cual viendo pues que aquel caballero no le dejaba, le dijo:

then, without any blast of trumpet to give them the signal to charge, both at the same instant wheeled their horses; and the Knight of the White Moon, being the swifter, met Don Quixote after having traversed two-thirds of the course, and there encountered him with such violence that, without touching him with his lance, —for he held it high on purpose— he hurled Don Quixote and Rocinante to the earth —a perilous fall. He sprang upon him at once, and placing the lance over his visor, he said to him:

"You are vanquished, sir knight, nay dead unless you admit the conditions of our defiance."

Don Quixote, bruised and stupefied, without raising his visor, said in a weak feeble voice:

"Dulcinea del Toboso is the fairest woman in the world, and I the most unfortunate knight on earth, and it is not fitting that this truth should suffer by my feebleness; drive your lance home, sir knight, and take my life, since you have taken away my honour."

"That I will not do, I swear, —said the Knight of the White Moon—. Live the fame of the lady Dulcinea's beauty undimmed as ever! All I require is that the great Don Quixote should retire to his own home for a year, or for so long a time as shall by me be enjoined upon him, as we agreed before engaging in this combat."

All who were there heard all this, and heard too how Don Quixote replied that so long as nothing in prejudice of Dulcinea was demanded of him, he would observe all the rest like a true and loyal knight. The engagement given, the Knight of the White Moon wheeled about, and rode away into the city at a half gallop.

In the end, they carried Don Quixote into the city in a hand-chair, which the viceroy sent for. The viceroy ordered Don Antonio Moreno, one of his knights, to find out who the Knight of the White Moon was. Don Antonio Moreno followed the Knight of the White Moon, who seeing then that the gentleman would not leave him, said to him:

"Bien sé, señor, a lo que venís, que es a saber quién soy. Sabed, señor, que a mí me llaman el bachiller Sansón Carrasco. Soy del mismo lugar que Don Quijote, cuya locura y sandez nos mueve a que le tengamos lástima todos cuantos le conocemos. Y yo, creyendo que su curación está en reposar en su casa, se me ocurrió esta estratagema para hacerle estar en ella. Y como él es tan escrupuloso en la observancia de las leyes de la caballería andante, sin duda alguna cumplirá su palabra. Esto es, señor, lo que pasa. Os suplico que no me descubráis, ni le digáis a Don Quijote quién soy."

"Señor, —dijo Don Antonio— ahora que sé las razones, callaré, y no le diré nada."

Don Antonio se despidió de él, y Carrasco se volvió a su patria, sin sucederle cosa que obligue a contarla en esta verdadera historia. Entonces contó Don Antonio al virrey todo lo que Carrasco le había dicho.

Seis días estuvo Don Quijote en el lecho, abatido, triste y malhumorado, dando vueltas con la imaginación al desdichado suceso de su derrota. Sancho se esforzaba por consolarle, y entre otras razones, le dijo:

"Señor mío, alce vuestra merced la cabeza, y alégrese si puede, y dé gracias al cielo que, ya que le derribó en la tierra, no salió con alguna costilla quebrada; y pues sabe que *donde las dan las toman*, volvámonos a nuestra casa, y dejémonos de andar buscando aventuras por tierras y lugares que no conocemos."

"Calla, Sancho, —dijo Don Quijote— pues verás que mi retiro no ha de pasar de un año."

Llegó el día de la partida de Don Quijote y Sancho; Don Quijote, sin armadura y Sancho, a pie, por ir el burro cargado con ella.

"I know very well, sir, what you have come for; it is to find out who I am. You must know, sir, that I am called the bachelor Sansón Carrasco. I am from the same village as Don Quixote, whose madness and folly make all of us who know him feel pity for him. And I, believing that his chance of recovery depends on his resting at home, hit upon a device for keeping him there. And as he is so scrupulous in his observance of the laws of knight-errantry, he will, no doubt, keep his word. This, sir, is how the matter stands. I implore of you not to betray me, or tell Don Quixote who I am."

"Sir, —said Don Antonio— now I know the reasons, I'll keep quiet, and say nothing to him."

Don Antonio took his leave of him, and Carrasco returned to his own country without meeting any adventure calling for record in this veracious history. Then Don Antonio reported to the viceroy what Carrasco had told him.

Six days did Don Quixote keep his bed, dejected, sad and moody, brooding over the unhappy event of his defeat. Sancho strove to comfort him, and among other things, he said to him:

"Sir, hold up your head, and be of good cheer if you can, and give thanks to heaven that, if you have had a tumble to the ground, you have not come off with a broken rib; and as you know that *where they give they take*, let us go home, and give over going about in search of adventures in lands and places we don't know."

"Be quiet, Sancho, —said Don Quixote— you will see my retirement is not to exceed a year."

The day for Don Quixote's and Sancho's departure came; Don Quixote, without his armour and Sancho, on foot, the ass being loaded with it.

## CAPÍTULO XIX

# DE LO QUE A DON QUIJOTE LE SUCEDIÓ CON SU ESCUDERO SANCHO YENDO A SU ALDEA

Iba Don Quijote muy abatido, y a poco de llegar a la aldea, dijo a Sancho Panza:

"Sancho, si quieres paga por los azotes del desencantamiento de Dulcinea, yo te la daré. Puedes azotarte, y pagarte después tú mismo al contado, pues tienes dinero mío."

A este ofrecimiento, abrió Sancho los ojos y las orejas de un palmo, y dio consentimiento en su corazón a azotarse de buena gana, y dijo a su amo:

"Ahora bien, señor, yo quiero disponerme a dar gusto a vuestra merced en lo que desea. Dígame vuestra merced, ¿cuánto me dará por cada azote que me diere?"

"Pon el precio a cada azote" —dijo Don Quijote.

"Son —respondió Sancho— tres mil trescientos y pico; de estos me he dado hasta cinco; quedan los demás... lo que hace... por todos... ochocientos veinticinco reales. Estos los sacaré yo de los que tengo de vuestra merced, y entraré en mi casa rico y contento, aunque bien azotado, porque *no se toman truchas..*, y no digo más."

"¡Oh Sancho bendito! —exclamó Don Quijote—. Y mira, Sancho, ¿cuándo quieres comenzar la disciplina? Que porque la abrevies, te añado cien reales."

"¿Cuándo? —replicó Sancho—. Esta noche sin falta."

Llegó la noche esperada de Don Quijote con la mayor ansia del mundo. Sancho, haciendo del cabestro del burro un poderoso y flexible látigo, se retiró hasta veinte pasos de su amo, entre unos árboles. Don Quijote, que le vio ir con denuedo y con brío, le dijo:

## CHAPTER XIX

# OF WHAT PASSED BETWEEN DON QUIXOTE AND HIS SQUIRE SANCHO ON THE WAY TO THEIR VILLAGE

Don Quixote went along very downcast, and near the village, he said to Sancho Panza:

"Sancho, if you want some payment for the lashes on account of the disenchantment of Dulcinea, I will give it to you. You can whip yourself, and then pay yourself down with your own hand, as you have money of mine."

Sancho opened his eyes and his ears a palm's breadth wide at this offer, and in his heart he consented in whipping himself very readily, and said to his master:

"Very well then, sir, I'll hold myself in readiness to gratify your worship's wishes. Let your worship say, how much will you pay me for each lash I give myself?"

"Put a price on each lash" —said Don Quixote.

"There are —replied Sancho— three thousand three hundred and odd; of these I have given myself five; the rest remain… make… eight hundred and twenty-five *'reales'* in all. These I will stop out of what I have belonging to your worship, and I'll return home rich and content, though well whipped, for *there's no taking trout…*, but I say no more."

"O blessed Sancho! —exclaimed Don Quixote—. And look here, Sancho, when will you begin the scourging? For if you will make short work of it, I will give you a hundred *reales* over and above."

"When? —replied Sancho—. This night without fail."

Night, longed for by Don Quixote with the greatest anxiety in the world, came at last. Sancho, making a powerful and flexible whip out of the donkey's halter, retreated about twenty paces from his master, among some trees. Don Quixote, seeing him march off with such resolution and spirit, said to him:

"Ten cuidado, amigo mío, que no te hagas pedazos: da lugar a que unos azotes aguarden a otros; no quieras apresurarte tanto en la carrera, que en la mitad de ella te falte el aliento."

Sancho se desnudó de medio cuerpo arriba, y agarrando el látigo, comenzó a darse, mientras Don Quijote contaba los azotes.

"Prosigue, Sancho amigo, y no desmayes —le decía Don Quijote—; que yo doblo la parada del precio."

"De ese modo, —dijo Sancho— ¡a la mano de Dios, y lluevan azotes!"

Pero el socarrón dejó de dárselos en la espalda, y se los daba a los árboles, con unos suspiros de cuando en cuando, que parecía que con cada uno de ellos se le arrancaba el alma.

"No permita la suerte, Sancho, amigo mío, —dijo Don Quijote— que por el gusto mío pierdas tú la vida, que ha de servir para sustentar a tu mujer y a tus hijos."

"Pues vuestra merced, señor, lo quiere así —respondió Sancho— sea en buena hora; pero écheme su capa por los hombros, que estoy sudando, y no quiero resfriarme."

Hízolo así Don Quijote y, quitándosela, abrigó a Sancho, que se durmió hasta que le despertó el sol. Luego prosiguieron su camino, y llegaron a un pueblo que estaba a tres leguas de allí. Se apearon en un mesón, donde se alojaron hasta el día siguiente.

## Capítulo XX

## DE CÓMO DON QUIJOTE Y SANCHO LLEGARON A SU ALDEA

Todo aquel día, esperando la noche, estuvieron en el mesón Don Quijote y Sancho, el uno para acabar en la campaña rasa la tanda de su disciplina, y el otro para verla cumplida. ...

"Take care, my friend, not to cut yourself to pieces: allow the lashes to wait for one another; do not be in so great a hurry as to run yourself out of breath midway."

He stripped himself from the waist upwards, and snatching up the whip, he began to lay it on, while Don Quixote counted the lashes.

"Go on, Sancho my friend, and be not disheartened —said Don Quixote to him—; for I double the stakes as to price."

"In that case, —said Sancho— in God's hand be it, and let it rain lashes!"

But the rogue no longer laid them on his back, but laid on to the trees, with such groans every now and then, that one would have thought at each of them his soul was being plucked up by the roots.

"Heaven forbid, Sancho, my friend, —said Don Quixote— that to please me you should lose your life, which is needed for the support of your wife and children."

"As your worship will have it so, sir, —replied Sancho— so be it; but throw your cloak over my shoulders, for I'm sweating and I don't want to take cold."

Don Quixote did as he was asked and, stripping himself, covered Sancho, who slept until the sun woke him. They then resumed their journey, and arrived at a village that lay three leagues farther on. They dismounted at a hostelry, where they stayed until next day.

CHAPTER XX

# OF HOW DON QUIXOTE AND SANCHO REACHED THEIR VILLAGE

All that day, Don Quixote and Sancho remained in the inn, waiting for night, the one to finish off his task of scourging in the open country, the other to see it accomplished. ...

Llegó la tarde, y partieron de aquel lugar. Aquella noche la pasaron entre árboles, por dar lugar a Sancho de cumplir su penitencia, que la cumplió del mismo modo que la pasada noche, a costa de las cortezas de las hayas más que de sus espaldas.

No perdió el engañado Don Quijote un solo golpe de la cuenta, y halló que con los de la noche pasada, hacían tres mil veintinueve. Parece que había madrugado el sol a ver el sacrificio, con cuya luz volvieron a proseguir su camino.

Aquel día y aquella noche caminaron sin sucederles cosa digna de contarse, si no fue que en el curso de la noche, acabó Sancho su tarea. Don Quijote quedó extremadamente contento, y esperaba el día por ver si en el camino, topaba con su señora Dulcinea ya desencantada. Con estos pensamientos y deseos, subieron una cuesta arriba, desde la cual divisaron su aldea. Entonces Sancho se hincó de rodillas y exclamó:

"¡Abre los ojos, deseada patria, y mira que vuelve a ti tu hijo, Sancho Panza, si no muy rico, muy bien azotado! ¡Abre los brazos y recibe también a tu hijo Don Quijote, que, si viene vencido por el brazo de otro, viene vencedor de sí mismo, lo que, según él mismo me ha dicho, es la mayor victoria que puede desearse! Vuelvo con dinero, porque si buenos azotes me daban, bien caballero me iba."

"Déjate de esas sandeces —dijo Don Quijote—; vamos con pie derecho a entrar en nuestro lugar." Con esto, bajaron de la cuesta y se fueron a su pueblo.

A la entrada del pueblo, fueron enseguida reconocidos por el cura y del bachiller Sansón Carrasco, que se vinieron a ellos con los brazos abiertos. Don Quijote se apeó y les recibió con un fuerte abrazo. Llegaron a casa de Don Quijote, y hallaron a la puerta de ella al ama y a su sobrina. Entonces vino Teresa Panza, mujer de Sancho, desgreñada y medio desnuda, trayendo de la mano a Sanchica, su hija.

Evening came, and they set out from the village. That night they passed among trees, again in order to give Sancho an opportunity of working out his penance, which he did in the same fashion as the night before, at the expense of the bark of the beech trees much more than of his back.

The duped Don Quixote did not miss a single stroke of the count, and he found that together with those of the night before, they made up three thousand and twenty-nine. The sun apparently had got up early to witness the sacrifice, and with his light they resumed their journey.

That day and night they travelled on, nor did anything worth mention happen to them, unless it was that in the course of the night, Sancho finished off his task. Don Quixote was beyond measure joyful, and he watched for daylight to see if along the road, he should fall in with his already disenchanted lady Dulcinea. Full of these thoughts and wishes, they ascended a rising ground, from where they descried their own village. Then Sancho fell on his knees and exclaimed:

"Open your eyes, longed-for home, and see how your son, Sancho Panza, comes back to you, if not very rich, very well whipped! Open your arms and receive, too, your son Don Quixote, who, if he comes vanquished by the arm of another, comes victor over himself, which, as he himself has told me, is the greatest victory anyone can desire! I'm bringing back money, for if I was well whipped, I went mounted like a gentleman."

"Have done with these fooleries —said Don Quixote—; let us push on straight and get to our own place." With this, they descended the slope and directed their steps to their village.

At the entrance of the village, they were at once recognised by both the curate and the bachelor Sansón Carrasco, who came towards them with open arms. Don Quixote dismounted and received them with a close embrace. They arrived at Don Quixote's house, at the door of which they found his housekeeper and niece. Then there came Teresa Panza, Sancho's wife, with her hair all loose and half naked, dragging Sanchica, her daughter, by the hand.

"¿Cómo venís así, marido mío? Que me parece que venís a pie y con los pies doloridos, y más traéis semejanza de desgobernado que de gobernador."

"Calla, Teresa, —respondió Sancho— y vámonos a casa, que allá oirás maravillas. Traigo dinero, que es lo que importa, ganado por mi industria, y sin daño de nadie."

Se fueron a su casa, dejando a Don Quijote en la suya, en poder de su sobrina y de su ama, y en compañía del cura y del bachiller. Don Quijote les contó al bachiller y al cura todo sobre su derrota, y la obligación en que había quedado de no salir de su aldea en un año, y que aquel año tenía pensado hacerse pastor —en la soledad de los campos, podía con toda libertad dar rienda suelta a sus amorosos pensamientos— y que les suplicaba que fuesen sus compañeros, que él compraría ovejas y ganado suficiente que les diese nombre de pastores.

Todos se pasmaron de ver la nueva locura de Don Quijote; pero porque no se les fuese otra vez del pueblo en el ejercicio de la caballería, aprobaron por discreta su locura, y se ofrecieron por compañeros suyos.

Capítulo XXI

# DE CÓMO DON QUIJOTE CAYÓ MALO, Y DEL TESTAMENTO QUE HIZO, Y SU MUERTE

Como las cosas humanas no son eternas, especialmente la vida del hombre, y como la de Don Quijote no tuviese privilegio del Cielo para detener el curso de la suya, llegó su fin cuando él menos lo pensaba. Porque ya fuese de la melancolía que le causaba el verse vencido, o ya por la disposición del Cielo, que así lo ordenaba, se le arraigó una fiebre que le tuvo seis días en la cama. Le visitaron muchas veces sus amigos, el cura, el bachiller y el barbero, sin quitársele de la cabecera Sancho Panza, su buen escudero.

"How is it you come like this, husband? It seems to me you come tramping and footsore, and looking more like a disorderly vagabond than a governor."

"Hold your tongue, Teresa, —replied Sancho— and let's go home, and there you'll hear strange things. I bring money, and that's the main thing, got by my own industry, without wronging anybody."

They made for their house, leaving Don Quixote in his, in the hands of his niece and housekeeper, and in the company of the curate and the bachelor. Don Quixote told the bachelor and the curate all about his defeat, and of the engagement he was under not to quit his village for a year, and of how he thought of turning shepherd for that year —in the solitude of the fields he could with perfect freedom give range to his thoughts of love— and he begged them to be his companions, for he would buy sheep and stock enough to qualify them for shepherds.

They were astonished at Don Quixote's new craze; however, lest he should once more make off out of the village from them in pursuit of his chivalry, they applauded his crazy idea as a bright one, and offered to share the life with him.

## Chapter XXI

## OF HOW DON QUIXOTE FELL SICK, AND OF THE WILL HE MADE, AND HOW HE DIED

As all human things cannot last for ever, above all man's life, and as Don Quixote's enjoyed no special dispensation from Heaven to stay its course, his end came when he least looked for it. For, whether it was of the dejection the thought of his defeat produced, or of Heaven's will that so ordered it, a fever settled upon him and kept him in his bed for six days. He was often visited by his friends, the curate, the bachelor and the barber, while his good squire Sancho Panza never quitted his bedside.

Ellos por todas las vías posibles procuraban alegrarle, diciéndole el bachiller que se animase y levantase para comenzar la vida pastoril. Pero no por esto dejaba Don Quijote su tristeza. Llamaron sus amigos al médico, que le tomó el pulso y no le contentó mucho. Les dijo que sería mejor que atendiese a la salud de su alma, porque la del cuerpo corría peligro. Rogó Don Quijote que le dejasen solo, porque quería dormir un poco. Así lo hicieron y durmió de un tirón más de seis horas. Despertó al cabo del tiempo dicho y dando una gran voz, exclamó:

"¡Bendito sea el poderoso Dios, que tanto bien me ha hecho! ¡En verdad sus misericordias no tienen límite, ni las abrevian ni impiden los pecados de los hombres!"

"¿Qué es lo que vuestra merced dice, señor? —preguntó la sobrina—. ¿De qué misericordias o de qué pecados de los hombres habla vuestra merced?"

"Las misericordias, sobrina, —respondió Don Quijote— son las que en este instante Dios ha demostrado conmigo. ¡Ya tengo yo juicio, libre y claro! Ya conozco los disparates y embustes de los libros que leí, y no me pesa sino que este desengaño ha llegado tan tarde que no me deja tiempo para hacer alguna recompensa, leyendo otros que sean luz del alma. Sobrina, me siento a punto de morir. Llama, por favor, a mis buenos amigos, que quiero confesarme y hacer el testamento."

Pero de este trabajo se excusó la sobrina con la entrada de los tres: el cura, el barbero y el bachiller Carrasco. Apenas los vio Don Quijote, cuando exclamó:

"¡Dadme albricias, buenos señores, de que ya yo no soy Don Quijote de La Mancha, sino Alonso Quijano, a quien mis costumbres me dieron renombre del Bueno! Ya me son odiosas todas las historias profanas de la caballería andante; ya conozco mi necedad y el peligro en que me pusieron haberlas leído; ya, por la misericordia de Dios, escarmentando en cabeza propia, las abomino."

Cuando esto le oyeron decir los tres, creyeron sin duda que alguna nueva locura le había tomado, y Sansón le dijo:

They strove by all the means in their power to cheer him up; the bachelor bidding him take heart and get up to begin his pastoral life. But Don Quixote could not shake off his sadness. His friends called in the doctor, who felt his pulse and was not very well satisfied with it. He said that it would be better for him to attend to the health of his soul, as that of his body was in a bad way. Don Quixote begged them to leave him to himself, as he had a wish to sleep a little. They obeyed and he slept at one stretch more than six hours. At the end of that time, he woke up and in a loud voice, exclaimed:

"Blessed be Almighty God, who has shown me such goodness! In truth his mercies are boundless, and the sins of men can neither limit them nor keep them back!"

"What are you saying, sir? —asked the niece—. What mercies or what sins of men are you talking of?"

"The mercies, niece, —replied Don Quixote— are those God has shown me at this moment. My reason is now free and clear! Now I see through the absurdities and deceptions of the books I read, and it only grieves me that this destruction of my illusions has come so late that it leaves me no time to make some amends, by reading other books that might be a light to my soul. Niece, I feel myself at the point of death. Please call in to me my good friends, for I wish to confess and make my will."

But his niece was saved the trouble by the entrance of the three: the curate, the barber and the bachelor Carrasco. The instant Don Quixote saw them, he exclaimed:

"Good news for you, good sirs, that I am no longer Don Quixote de La Mancha, but Alonso Quijano, called for my way of life the Good! Now odious to me are all the profane stories of knight-errantry; now I perceive my folly and the peril into which reading them brought me; now, by God's mercy, schooled into my right senses, I loathe them."

When the three heard him speak in this way, they had no doubt whatever that some new craze had taken possession of him, and Sansón said to him:

"¿Ahora, señor Don Quijote, que tenemos noticia de que está desencantada la señora Dulcinea, sale vuestra merced con eso? Calle, por amor de Dios, vuelva en sí, y déjese de cuentos."

"Señores, —replicó Don Quijote— yo siento que me voy muriendo a toda prisa; déjense burlas aparte, y tráiganme un confesor que me confiese, y un escribano que haga mi testamento."

El cura les hizo salir y confesó a Don Quijote. El bachiller fue por el escribano, y de allí a poco volvió con él y con Sancho Panza. Acabada la confesión, salió el cura, diciendo:

"Verdaderamente se muere, y verdaderamente está cuerdo Alonso Quijano el Bueno; bien podemos entrar para que haga su testamento."

Estas nuevas dieron un terrible empujón a los ojos preñados del ama, la sobrina y de Sancho Panza, de tal manera que les hizo reventar las lágrimas de los ojos y mil profundos suspiros del pecho. Don Quijote fue siempre de apacible condición y de agradable trato, y por esto no sólo era bien querido de los de su casa, sino de todos cuantos le conocían.

Entró el escribano con los demás, y después de haber hecho la cabeza del testamento, y ordenado su alma Don Quijote con todas aquellas circunstancias cristianas que se requieren, llegando a las mandas, dijo:

"Item, es mi voluntad que, de cierto dinero que Sancho Panza tiene porque ha habido entre él y yo ciertas cuentas, quiero que no se le pida cuenta alguna, sino que si sobrare algo después de haberse pagado de lo que le debo, el restante sea suyo. Y si ahora pudiera darle el gobierno de un reino, se lo daría, porque la fidelidad de su trato lo merece."

Y volviéndose a Sancho, le dijo:

"Perdóname, amigo, de la ocasión que te he dado de parecer loco como yo, haciéndote caer en el error de que hubo y hay caballeros andantes en el mundo."

"What? Sir Don Quixote! Now that we have intelligence of the lady Dulcinea being disenchanted, are you taking this line? Hush, for heaven's sake, be rational, and let's have no more nonsense."

"Sirs, —replied Don Quixote— I feel that I am rapidly drawing near death; a truce to jesting, and let me have a confessor to confess me, and a notary to make my will."

The curate turned them all out and confessed Don Quixote. The bachelor went for the notary, and returned shortly afterwards with him and with Sancho. The confession over, the curate came out, saying:

"Alonso Quijano the Good is indeed dying, and is indeed in his right mind; we may now go in to him while he makes his will."

This news gave a tremendous impulse to the brimming eyes of the housekeeper, the niece and Sancho Panza, making the tears burst from their eyes and a host of sighs from their hearts. Don Quixote was always of a gentle disposition and kindly in all his ways, and hence he was beloved, not only by those of his own house, but by all who knew him.

The notary came in with the rest, and as soon as the preamble of the will had been set out, and Don Quixote had commended his soul to God with all the devout formalities that are usual, coming to the bequests, he said:

"Item, it is my will that, touching certain money Sancho Panza has inasmuch as between him and me there have been certain accounts, I want no claim be made against him, but that if anything remains after he has paid himself what I owe him, the balance shall be his. And if now I could give him the government of a kingdom, it should be his, for the fidelity of his conduct deserve it."

And then, turning to Sancho, he said:

"Forgive me, my friend, that I led you to seem as mad as myself, making you fall into the same error that there were and still are knights-errant in the world."

"¡Ay! —respondió Sancho llorando—. No se muera vuestra merced, mi amo, sino tome mi consejo, y viva muchos años; porque la mayor locura que puede hacer un hombre en esta vida es dejarse morir, sin más ni más, sin que nadie le mate, ni otras manos le acaben que las de la melancolía. Mire, no sea perezoso, sino levántese de esa cama, y vámonos al campo vestidos de pastores. Quizá tras alguna mata hallaremos a la señora Doña Dulcinea desencantada, que no haya más que ver. Si es que se muere del pesar de verse vencido, écheme a mí la culpa, diciendo que por haber yo cinchado mal a Rocinante, le derribaron; cuanto más que vuestra merced habrá visto en sus libros de caballerías ser cosa ordinaria derribarse unos caballeros a otros, y el que es vencido hoy ser vencedor mañana."

"Muy cierto" —dijo Sansón.

"Prosiga adelante el señor escribano, —dijo Don Quijote—. Item, dejo toda mi hacienda a Antonia Quijano, mi sobrina, aquí presente, habiendo sacado primero de ella lo que fuere menester para cumplir las mandas que dejo hechas. Y la primera satisfacción que se haga, quiero que sea pagar el salario que debo del tiempo que mi ama me ha servido, y más veinte ducados para un vestido. Dejo por albaceas al señor cura y al señor bachiller Sansón Carrasco, aquí presentes."

"Item, suplico a los dichos señores mis albaceas que, si por casualidad conocieran al autor de la *Segunda Parte de las Hazañas de Don Quijote de La Mancha,*' de mi parte le pidan que perdone la ocasión que, sin yo pensarlo, le di de haber escrito tantos y tan grandes disparates como en ella escribe, porque parto de esta vida con escrúpulo de haberle dado motivo para escribirlos."

Cerró con esto el testamento, y le dio un desmayo. Todos se alborotaron y acudieron en su ayuda, y en tres días que vivió después de hacer el testamento, se desmayaba muy a menudo. Andaba la casa alborotada; pero, con todo, comía la sobrina, brindaba el ama, y se regocijaba Sancho Panza; que esto del heredar algo, borra o templa en el heredero la memoria de la pena que es razón que deje el muerto.

"Ah! —replied Sancho weeping—. Don't die, dear master, but take my advice, and live many years; for the foolishest thing a man can do in this life is to let himself die, without rhyme or reason, without anybody killing him, or any hands but melancholy's making an end of him. Come, don't be lazy, but get up from your bed, and let us take to the fields in shepherd's trim. Perhaps behind some bush we will find the lady Dulcinea disenchanted, as fine as fine can be. If it is that you are dying of vexation at having been beaten, lay the blame on me, and say you were overthrown because I had girthed Rocinante badly; besides you must have seen in your books of chivalry that it is a common thing for knights to overthrow one another, and for him who is conquered today to be conqueror tomorrow."

"Very true" —said Sansón.

"Now let master notary proceed, —said Don Quixote—. Item, I leave all my property absolutely to Antonia Quijano, my niece, here present, after having been deducted from it what may be required to satisfy the bequests I have made. And the first disbursement I desire to be made is the payment of the wages I owe for the time my housekeeper has served me, with twenty ducats, over and above, for a gown. I appoint my executors, the curate and the bachelor Sansón Carrasco, now present."

"Item, I entreat the aforesaid gentlemen my executors that, if by any happy chance should meet the author of 'Second Part of the Achievements of Don Quixote of La Mancha,' they beg of him on my behalf to forgive me for having been, without intending it, the cause of his writing so many and such monstrous absurdities as are therein written, for I am leaving the world with a feeling of compunction at having provoked him to write them."

With this he closed his will, and a faintness coming over him. All were in a flutter and made haste to relieve him, and during the three days he lived after making his will, he fainted away very often. The house was all in confusion; but, still, the niece ate, the housekeeper drank, and Sancho Panza enjoyed himself; for inheriting property wipes out or softens down in the heir the feeling of grief the dead man might be expected to leave behind him.

En fin, llegó el último de Don Quijote, el cual, entre lamentaciones y lágrimas de los que allí se hallaron, dio su espíritu: quiero decir que se murió. Déjanse de poner aquí las lamentaciones de Sancho, de la sobrina y del ama, y los nuevos epitafios de su sepultura; Sansón Carrasco, sin embargo, escribió éste:

Yace aquí el hidalgo fuerte,
Que a tanto extremo llegó
De valiente, que se advierte
Que la Muerte no triunfó
De su vida con su muerte.
Tuvo a todo el mundo en poco;
Fue el espantajo y el coco
Del mundo, en tal coyuntura,
Que acreditó su ventura,
Morir cuerdo y vivir loco.

Vale.

At last Don Quixote's end came, who, amid the tears and lamentations of all present, yielded up his spirit, that is to say, died. The lamentations of Sancho and the niece and housekeeper are omitted here, as well as the new epitaphs upon his tomb; Sansón Carrasco, however, put the following lines:

A doughty gentleman lies here,
To such great extent courageous,
mind you,
That Death prevailed not
over his life.
He for the world but little cared;
The fright and the bogeyman
of the world he was,
and had the luck, with more ado,
to die sane and to live crazy.

Farewell.

# SUGERENCIAS PARA LA EXPLOTACIÓN DIDÁCTICA DE UN TEXTO BILINGÜE

Los textos bilingües, mediante la comparación de las dos lenguas, son un inestimable instrumento para el estudio comparativo tanto de la gramática como del vocabulario. Las sugerencias que ofrecemos a continuación pretenden servir de guía al lector-estudiante en este aspecto. Se ha tomado para este estudio el capítulo V, *La aventura de los molinos de viento*.

Se aconseja que el lector-estudiante tenga a mano un cuaderno en el que tomar notas. Este cuaderno se ha de dividir en dos partes: una para el estudio del vocabulario y otra para el estudio de la gramática.

## RECOMENDACIONES PARA EL ESTUDIO DEL VOCABULARIO

En esta parte del cuaderno, se ha de ir construyendo un minidiccionario personal bilingüe español-inglés o inglés-español con notas sobre el uso de las palabras. Este vocabulario ha de incluir:

a)   words (palabras sueltas)
b)   fragments of sentences (fragmentos de frases),

y no ha de ser exhaustivo, sino de 6 u 8 *items* como máximo por sesión de lectura, es decir, un número que el lector-estudiante pueda memorizar.

El modelo sería el siguiente:

SPANISH                         ENGLISH

**Words**

viento                          wind
campo                           plain
aspas                           sails
desigual                        unequal

### Fragments of Sentences

| | |
|---|---|
| entablar batalla | to engage in battle |
| la faz de la tierra | the face of the earth |
| a todo galope | at fullest gallop |
| un solo caballero | a single knight |

A veces es más fácil, y resulta más útil, intentar retener pequeños fragmentos de frases que palabras sueltas.

Una vez hecho este ejercicio, es recomendable hacer una segunda lectura para reconocer en el texto las palabras y fragmentos de frases que habíamos anotado en el cuaderno.

## RECOMENDACIONES PARA EL ESTUDIO COMPARATIVO DE LA GRAMÁTICA ESPAÑOLA E INGLESA

La parte del cuaderno destinada a la gramática se utilizará para el estudio de la gramática española en contraste con la inglesa, es decir, se sugiere al lector-estudiante que observe de forma comparativa distintos puntos gramaticales que haya estudiado en sus clases de gramática y que trate de encontrar otras frases ilustrativas para ellos.

De nuevo esta tarea no ha de ser árdua, sino que se sugiere sólo estudiar un punto gramatical o una determinada construcción gramatical por sesión de lectura. Al tratarse de construcciones muy corrientes, el lector podrá emplear el conocimiento que adquiera con esta comparación en el uso diario de la lengua.

Se sugieren los siguientes apartados:

1) COMPARACION ENTRE TIEMPOS VERBALES

| SPANISH | ENGLISH |
|---|---|
| *Presente* | *Present Tense* |
| vemos | see |
| parecen | seem |
| hacen | make |
| acomete | attacks |

| Pasado | Past Tense |
|--------|-----------|
| dijo | said |
| vio | saw |
| exclamó | exclaimed |
| acudió | hastened |

2) EL VERBO TO BE = SER, ESTAR, HAY

*To be* se puede traducir al español por: *ser, estar, tener,* o por la palabra invariable *hay.* Es importante que el estudiante de español elija correctamente cuál de estas formas utilizar en el discurso en cada caso. Encontramos un ejemplo en el texto.

### There is, there are = Hay

La expresión *there is, there are* equivale en español a la palabra *hay,* que es invariable, es decir, es igual en singular que en plural.

*En esto descubrieron treinta o cuarenta molinos de viento que **hay** en aquel campo.*
At this point they came in sight of thirty or forty windmills that **there are** on that plain.
(Obsérvese que *hay* se refiere a *molinos* (sustantivo plural).

3) TRADUCCIÓN AL ESPAÑOL DE LOS *PHRASAL VERBS*

Los llamados *Phrasal Verbs* se traducen al español por verbos formados por una única palabra. Así en el texto encontramos varios ejemplos:

| SPANISH | ENGLISH |
|---------|---------|
| quitar | sweep off |
| revolver | whirl round |
| llegar | come up |
| convertir | turn into |
| levantarse | spring up |

# ESTUDIO DE CÓMO CONSTRUCCIONES GRAMATICALES DIFERENTES EXPRESAN LA MISMA IDEA

Es muy interesante observar frases en ambos idiomas, en las que siendo su significado el mismo, difieren mucho en el vocabulario y en la construcción gramatical. Mediante este ejercicio, el estudiante entra en contacto con la riqueza del idioma y aprende a pensar en el mismo, lo que constituye la base para hablarlo correctamente y llegar a dominarlo. Así en este capítulo encontramos las siguientes:

**Descubrieron** treinta o cuarenta molinos de viento.
They **came in sight of** thirty or forty windmills.

DQ decía que **no era posible dejar de encontrar** muchas y diversas aventuras.
DQ said that **they could not fail to find** adventures in abundance and variety.

**Iba tan puesto** en que eran gigantes.
He **was so positive** they were giants.

Bien parece **que no estás cursado en esto** de las aventuras.
It is easy to see that **you are not used to this business** of adventures.

Animamos al lector-estudiante a realizar los ejercicios de observación propuestos en este capítulo a lo largo del texto bilingüe, y otros que él mismo pueda idear.

## PROPUESTA DE ACTIVIDADES EN GRUPO

A continuación se proponen unas actividades en grupo, que pueden realizarse bajo la supervisión del profesor o entre el lector y un compañero. Por la naturaleza libre de las respuestas, no se ofrecen soluciones. Se sugieren varios tipos de ejercicios:

1.   *Encuentra la frase que...* Los participantes se dividen en dos grupos. La actividad se ha de desarrollar en inglés y en español. Uno recibe el encargo de preparar para el otro una serie de cinco

ejercicios de reconocimiento que comiencen por: *Encuentra la frase que…*

| | |
|---|---|
| Emplea… | Presupone… |
| Pregunta … | Da instrucciones… |
| Resume … | Dice… |
| Describe… | Expresa… |
| Sugiere… | Habla… |
| Indica… | Da idea… |
| Usa… | Afirma… |

El otro equipo ha de encontrar en el diálogo la respuesta.

2. **Traducción directa e inversa.** El profesor elige cinco frases cortas en español; los alumnos buscan en el texto y anotan en su cuaderno sólo la traducción al inglés. Luego, con los libros cerrados, el grupo las traduce al español y después compara el resultado con el texto, observando aquellos aspectos en que han encontrado dificultad y analizando los errores para extraer conclusiones.

3. **Conversación bilingüe.** Se ofrecen temas de conversación o de debate a partir del texto. Los participantes se dividen en dos grupos: en un primer tiempo, uno habla en español y otro contesta en inglés; en un segundo tiempo, viceversa.

4. **Role-play (Escenificación).** Se proponen dos tipos de ejercicios: a) El equipo ha de escenificar el mismo diálogo, intercalando un párrafo en español y otro en inglés; b) Los participantes introducirán novedades y representarán la escena adaptando el diálogo.

## CATALOGO GRATUITO

Solicite de forma gratuita nuestro catálogo completo de *Libros Didácticos Complementarios – Resource Material* escribiendo a la siguiente dirección, o llamando al teléfono que se indica.

**Anglo-Didáctica Publishing**
y
**Editorial La Casa de España**

c/ Santiago de Compostela, 16 – bajo B
28034 Madrid, España
Tel y Fax: (34) 91 378 01 88